een eeuw Apart

Het Rijksmuseum
en de Nederlandse schilderkunst
in de 19de eeuw

Het Rijksmuseum

en de Nederlandse schilderkunst

in de 19 de eeuw

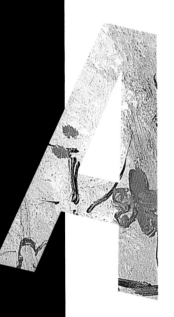

een eeuw
part

Judikje Kiers, Wiepke Loos, Henk van Os,

Fieke Tissink, Annemarie Vels Heijn

Eindredactie Caroline Bunnig

Rijksmuseum-Stichting, Amsterdam 1993

Inhoudsopgave

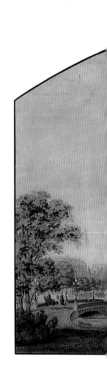

De Drucker-uitbouw van het Rijksmuseum.

De meest kenmerkende karakteristiek van de 19de-eeuwse schilderkunst in Nederland is, dat ze voor een groot deel continuering, herleving, zelfs terugblik op onze grote schilderkunst van de Gouden Eeuw wil zijn. In Frankrijk echter was in dezelfde tijd sprake van de retoriek van de avant-garde. Authenticiteit en vernieuwing werden daar de kenmerken bij uitstek van artistieke creativiteit. Dit terwijl nu juist ten onzent kunst gelegiti-meerd werd door haar band met het verleden. Juist door deze band horen 19de-eeuwse schilderijen in de natio-nale schatkamer, in het Rijksmuseum.

Opgevoed als we zijn in de gedachte, dat kunstenaars hoe dan ook vernieu-wers moeten zijn, is het moeilijk voor te stellen, dat P. G. van Os vooral graag op Paulus Potter wilde lijken en Bilders op Ruisdael. De schilders van de Haagse School voelden zich niet alleen met impressionisten verwant, maar zij wilden ook de grote traditie van de Nederlandse schilderkunst in hun werken doen herleven. Die blik op het verleden, die retrospectieve houding kwam zeker niet alleen voort uit enghartig nationalisme. Ook buiten Nederland was toen immers de kunst van de Gouden Eeuw een inspirerend voorbeeld. Het was een 'democratische' kunst, zonder de reuk van hof en kerk. In een eeuw waarin de dynamiek werd bepaald door burgerlijk elan, waarin de eman-cipatie van het individu en de ont-dekking van de natuurlijke wereld de belangrijkste thema's werden van de geschiedenis van de westerse cultuur, daarin moest de kunst van de Nederlandse burgers van de 17de eeuw wel een voorbeeldfunctie krij-gen. Sterker nog, mede dankzij de

internationale verheerlijking van Nederlandse kunst van de Gouden Eeuw zijn Nederlandse kunstcritici in onze kunst van het verleden gaan onderscheiden wat nationaal moest heten en wat niet. Mogen onze schil-ders van de 19de eeuw zich dan laven aan een nationaal verleden dat voor anderen een bron van inspiratie was?!

Het moge duidelijk zijn, de 19de-eeuwse Nederlandse schilderkunst is voor het Rijksmuseum van essentieel belang. De presentatie van de Neder-landse schilderschool zou onvolledig zijn zonder die 19de-eeuwse schilde-rijen, waarin het bewustzijn van een nationale school zo duidelijk tot uit-drukking komt. Pas aan het einde van de eeuw wint het internationalisme het van de nationale oriëntatie. Dan wordt het Nederlandse van Neder-landse kunst hooguit een min of meer toevallige specificatie en is het niet meer iets wat waard is na te stre-ven. Voor het Rijksmuseum is daarom de grens van 1900 voor de collectie schilderijen reëel. Het wil de Neder-landse schilderkunst van de 19de eeuw laten zien in haar hoogste kwaliteit en in haar veelzijdigheid en, waar dat noodzakelijk en mogelijk is, met verwijzingen naar de schilder-kunst buiten Nederland.

Tegelijkertijd moet die Nederlandse schilderkunst in haar eigen, histori-sche karakter worden bestudeerd. Gelukkig zijn daartoe de afgelopen jaren enkele waardevolle aanzetten gegeven. Hier kan ik alleen proberen aan te duiden, waarom wij het histori-sche zicht op die periode zijn kwijtge-raakt om vervolgens enkele aandachts-punten te vermelden voor een meer globale bestudering ervan.

Wie wil leren inzien met welke maat de 19de eeuw is gemeten, zou het onvolprezen boek van G. H. Marius *De Hollandsche Schilderkunst in de Negentiende Eeuw* ter hand moeten nemen, dat voor het eerst in 1903 werd uitgegeven. Juffrouw Marius is een geheel overtuigd en overtuigend pleitbezorgster van de schilders van de Haagse School. Dat betekent, dat zij is doordrongen van de zienswijze van het 'l'art pour l'art'. Eenvoudig gezegd, alle kunstenaars die het onderwerp op de eerste plaats stellen en de uitbeelding ervan daaraan ondergeschikt maken, kunnen stee-vast op haar misnoegen rekenen. Voor de impressionisten van de Haagse School geldt, zo kan ze niet vaak genoeg herhalen, dat, ook al beeldt de schilder een koe, een boom of een eend uit, het noch om die koe, noch om die boom, noch om die eend gaat. Willem Maris schildert geen koeien maar licht. Het onder-werp is voor de schilders eigenlijk niet meer dan de aanleiding voor hun verbeelding en hoeveel te meer geldt dat niet voor ons, na vele jaren 'onderwerploze' kunst en theorieën over de autonomie van de kunst. Voor velen is zelfs de Haagse School thans 'plaatjeskunst' geworden!

Juffrouw Marius heeft het dan ook niet makkelijk met die schilders uit de eerste helft van de 19de eeuw, voor wie een effectieve uitbeelding van een bepaalde voorstelling het belangrijkste was. Eigenlijk vindt ze onze grote historieschilder Jan Willem Pieneman alleen maar belangrijk omdat hij de leermeester van Jozef Israëls was. Van de met internationale roem beladen Cornelis Kruseman schrijft zij: *De zijne was geen*

8

kunst, die door schilderdeugden, of door oorspronkelijkheid van opvatting uitmuntte; zij vond zoowel haar bestaansreden als haar succes in de opvatting van het onderwerp, dat, voortgekomen uit zijn tijd, met den geest van dien tijd moest ondergaan. Daarmee heeft zij precies het probleem van menige kijker van nu met zulke schilderijen omschreven. Kunst waarin het gaat over de opvatting van het onderwerp is verkeerd. En als het romantisch wordt – dus echt 19de-eeuws! – dan gaat het helemaal mis. Dan vloeien de schilderijen al gauw over van sentimentaliteit, van onnatuur, en van 'laffe theatraalheid'.

Ik volg juffrouw Marius, omdat zij zo indringend duidelijk maakt dat ook wij geen gevoel meer hebben voor bijvoorbeeld de hiërarchie van thematiek, zoals die in de hele 19de eeuw aan de orde blijft. Dat schilders van mythologische, bijbelse en historische onderwerpen hoger in aanzien stonden dan bijvoorbeeld landschapschilders weten we misschien nog wel, maar wat de historische betekenis daarvan was, ontgaat ons voor een groot deel. Maar nog belangrijker is, dat we ook onvoldoende herkennen, wat de oorspronkelijkheid is van schilders als Cornelis Kruseman, Ary Scheffer of Sir Laurens Alma Tadema. Die schilders waren namelijk vaak juist buitengewoon oorspronkelijk! Niet omdat ze de uitvoering verkozen boven het thema, maar wel omdat ze in hun opvatting van dat thema op een nieuwe manier de beschouwer bij het onderwerp betrokken. Voor dit soort 'conceptkunst' hebben we nauwelijks criteria ontwikkeld, als we tenminste 'laffe theatraalheid' daar niet toe rekenen. In het analyseren hoe in de 19de-

eeuwse kunst een boodschap wordt overgebracht, daarin ligt een wezenlijke taak voor kunsthistorici. Misschien moeten we daarvoor inderdaad begrippen lenen van de theatermaker, omdat in beeldbeschrijvingen wij zelf vaak gevangen raken in autonome stijlbegrippen. Of misschien moeten we vragen stellen aan filmmakers als Visconti en Bertolucci die dikwijls 19de-eeuwse salonschilderijen gebruiken als uitgangspunt voor hun mise-en-scène.

Juffrouw Marius had een hekel aan veel Nederlandse schilders van de 19de eeuw: zij kende de werken, maar het geloof had ze niet. Het misprijzend oordeel van haar generatie heeft ertoe geleid, dat latere generaties veel van wat toen belangrijk was veronachtzaamd hebben. Op die manier is er ontzettend veel verdwenen, gewoon weggegooid. Wie nu 19de-eeuwse catalogi van belangrijke tentoonstellingen doorleest ontdekt, dat een compleet beeld van die tijd nauwelijks meer is voor te stellen. Het is soms zelfs moeilijk om zich van de oeuvres van een aantal van de toen belangrijke schilders een beeld te vormen. Die ontkenning is het directe gevolg van de kunstopvatting waarin moderne kunst werd afgezet tegen de ouderwetsheid van het verleden. Nu de 19de eeuw weer wordt gewaardeerd is er ook de pijnlijke bewustwording van het vele dat voorgoed verloren is gegaan.

Zicht op de Nederlandse kunst van de 19de eeuw als geheel betekent oog hebben voor essentiële scharnierpunten. Ik noem er twee: nationalisme en industrialisatie. Sommige historici willen ons doen geloven, dat

Nederlanders geen echt nationalisme hebben gekend. Wie alleen al het Rijksmuseum kent, zou beter moeten weten. Het is gebouwd als een nationaal symbool bedoeld om collecties van nationale kunst en geschiedenis te herbergen. Van de grote musea in de wereld is het ongetwijfeld de meest nationalistische instelling. Wij hebben met dat onverbloemde nationale chauvinisme weinig kwaad gedaan, maar het getuigt van historische kortzichtigheid om het te ontkennen en zich blind te staren op het Nederlandse internationalisme. Het is nu moeilijk voor te stellen, dat voor het definiëren en bevorderen van een Nederlandse cultuur de afscheiding van België in 1830 van beslissende betekenis is geweest. Vanaf toen wilden Nederlanders pas echt hun eigen helden hebben. Was Rubens tot dan toe de grote kunstheld der Lage Landen, na 1830 importeren wij van elders de extreme Rembrandtverering om van hem het kunstgenie van Nederland te maken. Voor kunstopdrachten, maar vooral ook voor de kunstbeoefening in ons land betekende de onafhankelijkheid van België, dat men meer dan ooit bewust het eigene wilde zien en ervaren. Dan ontstaat, om maar iets te noemen, een uitgesproken Nederlandse thematiek in de historieschilderkunst, zoals de tentoonstelling *Het Vaderlands Gevoel*, die in 1978 in het Rijksmuseum werd gehouden, heeft geïllustreerd.

Tegelijk met de behoefte aan een uitgesproken nationale cultuur ontwikkelen zich in de tweede helft van de 19de eeuw nieuwe kapitaalkrachtige groepen van potentiële kunstkopers met een internationale allure. Met de industrialisatie in Nederland ontstonden net als in andere landen nieuwe vermogens, waarvan de eigenaren zich cultureel wilden legitimeren door aankoop van of opdrachten voor eigentijdse kunst. Dat waren niet zelden collectieve opdrachten. Het was een bloeitijd voor vele verenigingen en genootschappen, die het bevorderen van de kunstbeoefening hoog in het vaandel hadden staan. Bij de bestudering van de Nederlandse kunst van de 19de eeuw is tot nu toe weinig aandacht besteed aan de invloed van deze ingrijpende sociaal-economische veranderingen op de omvang en de aard van de kunstproduktie.

Bij alle verwaarlozing en zelfs ontkenning van de 19de eeuw hoort ook, dat men in Nederland vrijwel geheel is vergeten, dat de Nederlandse kunst in de vorige eeuw een enorme internationale uitstraling heeft gehad. Dankzij activiteiten van het Van Goghmuseum en het Haags Gemeentemuseum realiseert men zich af en toe, dat de Haagse School internationaal meetelde. Maar dat Nederlandse schilderkunst een waardig hoofdstuk vormt van de geschiedenis van de Europese schilderkunst van de 19de eeuw, dat wil er bij ons toch nog niet in, laat staan, dat we het anderen willen laten beseffen. Natuurlijk, Ary Scheffer was een succesvol schilder maar die ging dan ook naar Parijs, en Alma Tadema werd Sir, nadat hij naar Engeland was gegaan. Bovendien is op beide schilders volgens menigeen veel tegen. De een is van een jammerlijke theatraalheid en de ander is gelikt. Alleen Van Gogh, die was de moeite waard, maar eigenlijk wordt hij als wegbereider van de moderne kunst, niet als een 19de-eeuwse mees-

ter beschouwd. Dit soort oordelen en maatstaven heeft tot gevolg gehad, dat de Nederlandse schilderkunst geen eigen hoofdstuk in de internationale kunstgeschiedenis van de 19de eeuw heeft gekregen. Het is misschien moeilijk voor te stellen, maar de beide Pienemans, de Krusemans, het waren internationaal zeer geziene schilders. De grote meesters van de Haagse School waren gevierde beroemdheden en zijn nog steeds vertegenwoordigd in de musea van New York, Boston, Glasgow, Edinburgh, München, tot in Moskou toe. Het is dan ook een wezenlijk deel van de opdracht die we onszelf hebben gegeven, om de Nederlandse schilderkunst te laten zien als een niet onbelangrijke bijdrage tot de geschiedenis van de Europese schilderkunst van de 19de eeuw.

Prof. dr. Henk van Os

afb. 1: Een zaal van de Drucker-uitbouw
tijdens de tentoonstelling 'Een eeuw apart' die
van 16 maart 1991 tot december 1992 duurde.

Het Rijksmuseum en de Nederlandse schilderkunst in de 19de eeuw

'Een eeuw apart' heette de presentatie van 350 19de-eeuwse schilderijen uit eigen bezit, die van maart 1991 tot eind 1992 in het Rijksmuseum te zien is geweest. In twee, soms in drie rijen boven en onder elkaar gehangen, werden de werken getoond in de acht bovenzalen van de zuidvleugel van het museum, de zogenaamde Drucker-uitbouw (afb. 1). Doel van de tentoonstelling was om het publiek een representatief overzicht te bieden van het totale bezit aan 19de-eeuwse schilderijen (meer dan 700 stuks) dat het museum rijk is. 'Een eeuw apart'– een titel die om meer dan één reden gekozen was. Het Rijksmuseum is in zijn bijna twee-honderd-jarige geschiedenis uitge-groeid tot de nationale schatkamer van ons culturele erfgoed uit de Gouden Eeuw. Maar dat hetzelfde Rijksmuseum een verzameling schil-derijen uit de vorige eeuw herbergt, die in omvang en kwaliteit enig in haar soort genoemd kan worden, was voor velen een verborgen feit, hoewel in de Drucker-uitbouw, daterend uit het begin van onze eeuw, altijd een selectie van de 19de-eeuwse schilderij-en is getoond. Die collectie, die ruim-telijk niet aansluit bij de in het hoofd-gebouw getoonde oude meesters, vormde een 'vergeten' afdeling van het Rijksmuseum.

Een 'vergeten eeuw' binnen de Nederlandse kunstgeschiedenis is de 19de eeuw al lang niet meer. Dankzij de inspanningen van diverse musea, én de respons van het publiek, is reeds gedurende decennia sprake van een levendige belangstelling voor de Nederlandse schilderkunst uit de vorige eeuw, zowel voor het vroeg 19de-eeuwse realisme en de roman-tiek, als voor het latere Haagse en Amsterdamse impressionisme. Om thans de prachtige verzameling 19de-eeuwse schilderijen van het Rijksmuseum op gepaste wijze ten-toon te stellen, is een totale renovatie van de zuidvleugel noodzakelijk. De presentatie 'Een eeuw apart' was der-halve een voorproefje van wat komen gaat: de modernisering van de Drucker-uitbouw, die volgens plan in 1995 heropend zal worden met een eigen ingang aan het Museumplein. Als gevolg van de verbouwing is de zuidvleugel in de periode 1993-1995 helaas gesloten, en verblijven de schilderijen tijdelijk in de depots. Gelukkig zal de collectie in die tijd niet helemaal aan het oog onttrokken zijn. Ten eerste wordt een selectie 'onmisbare' stukken tijdens de duur van de verbouwing elders in het museum opgesteld. Ten tweede rei-zen in 1993 onder de titel *Het Rijks op reis* verschillende groepen schilderij-en door het land, om in een aantal andere musea te worden getoond. En tenslotte is er dit boek *Een eeuw apart*, dat beschouwd kan worden als een voortzetting van de gelijknamige tentoonstelling.

De bedoeling van het boek is om in afwezigheid van de kunstwerken zelf, door 'plaatjes en praatjes' de her-innering levend te houden, en ons daarbij te verheugen op hetgeen we in de nabije toekomst weer in werke-lijkheid kunnen aanschouwen. Een standaardwerk over de Nederlandse 19de-eeuwse schilderkunst wil *Een eeuw apart* niet zijn. Deze inleiding over de ontstaansgeschiedenis van de collectie schetst dan ook niet meer dan een kaleidoskopisch beeld, een verkenning van een eeuw verzamelen, van legaten en schenkingen, van de Drucker-uitbouw en van de schilderij-en die er thuishoren. Tegelijkertijd, met de afgebeelde en besproken schilderijen als rode draad, kan inzicht worden verschaft in de veel-heid aan stromingen en genres die te zamen het gezicht van de 19de-eeuwse schilderkunst bepalen.

afb. 6: George Hendrik Breitner (1857-1923), 'Rijdende artillerie'.

Een oud verhaal, een nieuw begin

Ruimtegebrek

Het Rijks-Museum is weder verrijkt met een aantal schilderijen en aquarellen, die met recht een belangrijke aanwinst mogen genoemd worden. De afdeeling "Moderne Schilderijen" in het Fragmentengebouw is nl. aangevuld met niet minder dan zeven-en-dertig kunstwerken van bekende meesters en wel vier-en-twintig schilderijen en zeven aquarellen van Jacob Maris, zeven aquarellen van Geo Poggenbeek, een aquarel van Albert Nuehuys en een schilderij van Mesdag. Hierdoor is de geheele eerste zaal van het gebouw gevuld met de collectie Drucker, want ook deze jongste aanwinst is te danken aan den heer J. C. J. Drucker te Londen, die de schilderijen in bruikleen afstond. (...) Maar waar is het Fragmentengebouw eigenlijk en hoe komt men er? Het moet erkend worden, dat de verzameling niet zoo gemakkelijk te vinden is. Men moet daartoe, staande voor het gebouw, den rechteringang ingaan en dan dadelijk rechtsaf slaan door de porcelein-zaal en het Prentenkabinet; door een gang met schilderijen aan weerszijden bereikt men dan de verzameling moderne schilderijen. (...) In de zaal er naast hangt o.a. de 'Slag bij Waterloo' van Pieneman, die

een geheele wand bedekt. Men zal verder wellicht opmerken dat er in dit tweede zaaltje zooveel, eigenlijk te veel schilderijen hangen. Hoe komt dit? Wel, men zal het niet willen gelooven, maar... het groote Rijks-Museum komt ruimte te kort! (...) Het zal er nog van moeten komen, dat men een tweede bijgebouwtje maakt, waar plaats genoeg voor is. En als men dat doet, laat men dan tevens een afzonderlijken ingang maken voor de moderne kunst; daar kan het Museum niet anders dan wel bij varen.

'Het groote Rijks-Museum komt ruimte te kort!', aldus *Het Nieuwsblad voor Nederland* van 9 december 1904. Ook in andere dag- en weekbladen kwam het Rijksmuseum-probleem aan de orde; een dag later bijvoorbeeld, kon men in het *Algemeen Handelsblad* lezen: *Uitbreiding schijnt het eenige middel te zijn om hier aan het gebrek aan ruimte tegemoet te komen. Wij hebben het indertijd wel eens betreurd dat niet al het moderne werk in het Stedelijk Museum verzameld kon worden; dat was toen de moderne verzameling in het Rijksmuseum nog weinig beduidde. Thans is het anders geworden. De verzameling is uitgebreid, de collectie Van Lynden is gekomen. (...) Nu komen de Druckers er bij, en dit alles te zamen maakt den bouw van nieuwe moderne zalen dringend noodzakelijk. (...) Dit alles is echter toekomstmuziek, zij het dan ook niet van een verre toekomst, hopen wij.*

Ruimtegebrek, iets waar bijna alle musea in onze tijd mee te kampen hebben, is dus geen nieuw verschijnsel. En in ieder geval niet binnen de geschiedenis van het Rijksmuseum. Inderdaad liet een uitbreiding van het in 1885 geopende Rijksmuseum-gebouw na de berichtgevingen van december 1904 niet lang op zich wachten. Want hoe kolossaal het door

de architect P. J. H. Cuypers ontworpen museum aan de Stadhouderskade er ook uitzag, en hoe royaal het ook leek, groot genoeg was het niet (afb. 2 en 3). Reeds in 1898 werd het hoofdgebouw vergroot met het 'Fragmentengebouw', een uit brokstukken van gesloopte historische bouwwerken samengesteld geheel (afb. 4). Via een ingewikkelde route langs porselein en prenten en door een verbindingsgang, zoals we hierboven lazen, kon men dit nieuwe museumgedeelte bereiken. In de verbindingsgang en in de zes zalen van het Fragmentengebouw werd de collectie 19de-eeuwse schilderijen – de 'moderne kunst' – ondergebracht. Aanvankelijk waren de moderne schilderijen van het Rijksmuseum in samenhang met de oude meesters te zien geweest in het hoofdgebouw, verdeeld over vier zalen. Hierbij was de

afb. 2: J. P. Veth, Cuypers, de architect van het Rijksmuseum.

afb. 3: J. Hilverdink, Het Rijksmuseum vanuit het Noorden, rond 1885, tekening.

afb. 4: Het Fragmentengebouw; drie bogen uit de Kleine Kerk te Edam, de oude waterpoort uit Gorinchem en de waterpomp uit Zaltbommel.

afb. 2.

afb. 3.

afb. 4.

14 grootste en tevens meest gevulde ruimte de 'Waterloo-zaal', genoemd naar het immense schilderij van Jan Willem Pieneman uit 1824, *De Slag bij Waterloo* (afb. 5 en blz. 57). Maar wie had kunnen voorzien, dat juist de afdeling moderne kunst zich rond de eeuwwisseling aanzienlijk zou uitbreiden? Want afgezien van enkele incidentele aankopen, zoals in 1886 de *Rijdende artillerie* van Breitner (afb. 6), een aantal belangrijke werken van Jacob Maris en Gabriëls *In de maand juli* (blz. 137), stond het verzamelen van eigentijdse kunst sinds 1885 niet meer op het programma van het museum. Die taak zou worden overgenomen door het in 1895 te Amsterdam geopende Stedelijk Museum. Bovendien was in 1874 de 'Vereeniging tot het Vormen van eenen Openbare Verzameling van Hedendaagsche Kunst' (de VVHK)

afb. 7: *Claude Monet (1840-1926), 'La Corniche bij Monaco', 1884.*

afb. 5: *De Waterloo-zaal (zaal 255) in 1887. Helemaal links is nog net een deel van Pienemans 'Slag bij Waterloo' te zien.*

afb. 8: James Abbott MacNeill Whistler (1834-1903),
'Effie Deans: 'Arrangement in yellow en grey'.

opgericht, wier inmiddels tot 82 schilderijen uitgegroeide collectie eveneens in het Stedelijk Museum werd ondergebracht.

Door omvangrijke legaten en schenkingen echter, werd het Rijksmuseum na 1885 toch nog op indrukwekkende wijze verrijkt met topstukken van de Haagse School-kunstenaars, de Amsterdamse impressionisten en andere binnen- en buitenlandse moderne meesters. Zo ontving het museum in de jaren 1899-1900 het legaat van R. B. baron van Lynden en mevrouw Van Lynden-baronesse van Pallandt, waartoe behalve moderne Hollanders ook buitenlandse 19de-eeuwse kunstenaars als Claude Monet en James MacNeill Whistler behoorden (afb. 7 en 8). Reeds na deze schenking was er voor nog meer nieuwe 19de-eeuwse schilderijen in het museum geen stukje muur meer over. Toen vervolgens in 1903 het eerste

Drucker-bruikleen binnenkwam, was het duidelijk dat een 'tweede bijgebouwtje' noodzakelijk was, zoals men het in het hier geciteerde krantenbericht formuleerde. Dit 'bijgebouwtje' werd de Drucker-uitbouw: een forse uitbreiding aan de zuidkant van het museum, geëntameerd door de grootste begunstigers van het Rijksmuseum op het gebied van de laat 19de-eeuwse schilderkunst, het echtpaar Drucker-Fraser.

De verzameling Drucker-Fraser

Jean Charles Joseph Drucker werd in 1862 in Amsterdam geboren. In 1883 vestigde hij zich in Londen, waar hij leefde als een *gentleman of leisure*, van wat hij van zijn vader in Holland had geërfd (afb. 9). Drie jaar later trouwde hij met de Engelse Maria Lydia Fraser (afb. 10). De heer en mevrouw Drucker ontwikkelden zich al spoedig tot hartstochtelijke verzamelaars van

afb. 9: Portret van de heer J. C. J. Drucker, 1939.   afb. 10: Portret van mevrouw M. L. Drucker-Fraser, 1939.

16

eigentijdse Hollandse meesters: Jozef Israëls, Mauve, Mesdag, de Marissen, Breitner. Hoe Drucker en zijn echtgenote tot verzamelen zijn gekomen, is niet precies bekend. Wel is het duidelijk dat de Haagse School hun grote voorkeur had.

De schilderijen en aquarellen voor zijn verzameling betrok Drucker voornamelijk via de kunsthandel in Londen, Den Haag en Amsterdam. Daarnaast onderhield hij met verschillende vooraanstaande kunstenaars nauwe vriendschapsbanden. Nadat de verzamelaar besloot om een gedeelte van zijn collectie als bruikleen aan het Rijksmuseum af te staan, ontstond er ook een warm contact tussen hem en de toenmalige hoofddirecteur Jhr. B. W. F. van Riemsdijk. Deze vriendschap, die in 1921 met diens opvolger Dr. F. Schmidt-Degener werd voortgezet, is medebepalend geweest voor de welgezindheid van het echtpaar Drucker-Fraser jegens het Rijksmuseum.

In 1903 kwam met een groep van veertien schilderijen en vijftien aquarellen het eerste Drucker-bruikleen het museum binnen, waaronder Mauves *Heide te Laren* uit 1887 (blz. 133). Aan het bruikleen verbond het echtpaar de voorwaarde, dat er een geschikte ruimte voor zou worden vrijgemaakt. Dit werd de grote zaal in het Fragmentengebouw (de huidige 'Troostzaal'), waardoor de eerder ontvangen collectie Van Lynden moest wijken. Nadat de opstelling van het bruikleen begin 1904 voor het publiek werd geopend, stelde Drucker later in het jaar een tweede bruikleen beschikbaar, bestaande uit achtentwintig werken van Jacob Maris. Diens beroemde *Afgesneden molen* uit 1872 was hier één van (blz. 107).

De Drucker-uitbouw

Intussen raakte het Fragmentengebouw overvol. Dit te zamen met de wens van de begunstigers dat hun verzameling een passende behuizing zou krijgen, resulteerde in de in 1909 en 1916 in twee fasen gebouwde Drucker-uitbouw. De architect was wederom Cuypers, maar zijn zoon Jos trad op als waarnemend architect, daar zijn vaders gezondheid te wensen over liet. Voor de stoffering en inrichting van de nieuwe zalen werd een adviescommissie van kunstenaars in het leven geroepen, waarvan onder anderen Willem Maris, Jozef Israëls en H. W. Mesdag lid waren. Bij het arrangeren van de door hen afgestane kunstwerken waren de ideeën van de Druckers zelf uiteraard doorslaggevend. In 1917 verhuisden alle 19de-eeuwse schilderijen naar de acht bovenzalen van het

nieuwe onderkomen. Sindsdien heeft de bovenverdieping van de zuidvleugel, helaas ruimtelijk nogal ver verwijderd van wat in het hoofdgebouw aan oude schilderkunst wordt getoond, onderdak geboden aan de afdeling 'moderne kunst' van het Rijksmuseum (afb. 11). De zalen op de begane grond fungeren sinds jaar en dag als de tentoonstellingsruimte van de afdeling Aziatische Kunst.

Ook 19de-eeuwse schilderijen afkomstig uit andere legaten en schenkingen zouden er voortaan een plaats krijgen. Behalve het legaat Van Lynden verdienen in dit verband te worden genoemd het legaat van J. B. A. M. Westerwoudt in 1907, bestaande uit tachtig schilderijen (voornamelijk Haagse School), voorts dertien schilderijen uit de nalatenschap van W. J. van Randwijk in 1914, waar-

afb. 11: Een zaal in de Drucker-uitbouw, omstreeks 1920, met schilderijen van Jozef en Isaac Israëls.

onder het stemmingsvolle *Souvenir d'Amsterdam* van Matthijs Maris uit 1871 (blz. 119), het legaat van A. van Wezel uit 1922, dat tachtig Nederlandse en Franse schilderijen bevatte en tot slot de collectie van J. D. Reich Jr., in 1923 aan het Rijksmuseum gelegateerd. Laatstgenoemde verzameling, met topstukken van Breitner, Corot, Fantin-Latour en Daumier, is na in 1923 in het Stedelijk Museum te zijn ondergebracht, in 1978 naar het Rijksmuseum teruggekomen.

Toen in 1909 het ontwerp voor de Drucker-uitbouw gereed was en de plannen werden gerealiseerd, besloten Drucker en zijn echtgenote hun bruiklenen om te zetten in schenkingen. Tevens kreeg het museum in 1912 en in 1919 weer een nieuw aantal schilderijen van de weldoeners ten geschenke. Later, in 1927, kocht Drucker Mauves kapitale *Morgenrit*

langs het strand (1876), om het schilderij vervolgens in het Rijksmuseum te plaatsen; daar is het nog steeds één van de stralende hoogtepunten van de collectie Drucker-Fraser (blz. 133). Nadat de heer en mevrouw Drucker-Fraser beiden in 1944 waren overleden, ontving het museum in 1947 alle nog in bruikleen aanwezige schilderijen in eigendom. Zo verwierf het Rijksmuseum in de loop van een periode van veertig jaar behalve een keurcollectie Haagse en Amsterdamse School, met de Drucker-uitbouw een eigen museum voor de 19de-eeuwse schilderkunst (afb. 12).

Een nieuw begin

Het jaar 1900 vormt voor de afdeling Schilderijen van het Rijksmuseum de grens van haar verzamelgebied, en dat is zo gebleven. Daarom geldt binnenshuis de 19de-eeuwse schilderkunst dan ook nog steeds als de afdeling 'moderne kunst'. Na bijna honderd jaar in de Drucker-uitbouw te zijn ondergebracht, gaat de collectie qua behuizing en bereikbaarheid een nieuwe toekomst tegemoet. Want niet alleen zal de zuidvleugel geheel worden gerenoveerd en van adequate klimaatbeheersing worden voorzien, ook krijgt de uitbouw een eigen, royale ingang aan het Museumplein. Een ingewikkelde tocht door het hoofdgebouw, wanneer men enkel voor een Maris of een Breitner komt, zal dus niet meer nodig zijn.

In ieder geval volgt na het oude verhaal van ruimtegebrek een nieuw begin, en behoort de situatie van vóór de Drucker-uitbouw, toen de schilderijen lijst aan lijst in het Fragmentengebouw hingen, tot een ver verleden. Om dit te illustreren, tenslotte nog een laatste citaat uit de *Nieuwe Rotterdamsche Courant* van 10 december 1904, naar aanleiding van het tweede door het echtpaar Drucker afgestane bruikleen: *De heer Drucker geeft met deze magnifieke milddadigheid blijk van bewondering voor de* **moderne** *kunst. Zeer is het te hopen, dat de kracht dezer bewondering worde medegevoeld en dit er toe bijdrage om eindelijk een betere plaatsruimte aan onze overheerlijke moderne kunst te verschaffen. Zooals de toestand nu is, kan men de prachtige schilderijen uit die collectie ternauwernood zien (...), en heden ten dage moet toch alles in 't werk worden gesteld om het* **groote publiek** *bij iets zoo opvoedends en veredelends als het aanschouwen van goede kunst te krijgen.*

afb. 13: Pieter Gerardus van Os (1776-1839), 'Landschap met vee', 1806.

Koningen en kunst

Tijdens de opeenvolgende regerings- periodes van de koningen Willem I, II en III, die te zamen de tijdsspanne 1814-1890 overbruggen, is er wat betreft de organisatie van de beelden- de kunsten in ons land veel veran- derd. Zoveel, dat het voor een beter begrip van de ontwikkelingen binnen de 19de-eeuwse schilderkunst van belang is de hoofdlijnen van het toen- tertijd gevoerde kunstbeleid hier nog eens te schetsen. Vooral koning Willem I en koning Willem II staan bekend als echte liefhebbers en bevorderaars van de beeldende kun- sten. Dankzij het optreden van koning Willem I bijvoorbeeld werd door de Nederlandse overheid voor het eerst in de geschiedenis serieus aan kunstpolitiek gedaan. Koning Willem II vervolgens gold als een belangrijk kunstkenner, die grote bedragen heeft uitgegeven voor de aankoop van kunstwerken, bestemd voor zijn privé-collectie. Op een geheel eigen wijze ten slotte, heeft ook koning Willem III het zijne gedaan ter ondersteuning van de kunstenaars in zijn tijd: hij kocht hun werk aan op tentoonstellingen, hij gaf opdrachten voor schilderijen en hij stelde aanmoedigingsmedailles en subsidies ter beschikking.

Het nieuwe tijdperk van de overheids- bemoeienissen met de kunsten werd echter ingeluid door een hierboven nog niet genoemde vorst, Lodewijk Napoleon (een broer van de Franse keizer Napoleon I), die in 1806 ons land binnenkwam. Gedurende vier jaar, tot 1810, regeerde hij over het Koninkrijk Holland. Onder zijn lei- ding werd er naar Frans model een aantal drastische maatregelen door- gevoerd ten aanzien van de officiële organisatie van de schone kunsten.

Achteraf gezien blijken de kunstbe- vorderende activiteiten van de Franse koning de eerste kiem te zijn geweest voor een nieuw kunstleven in een nieuwe eeuw. Omstreeks 1800 keek men met weinig enthousiasme terug op de artistieke prestaties van de voorafgaande decennia. Het was een in artistiek opzicht schraal tijdperk geweest vergeleken bij de glorieuze Gouden Eeuw. Daarbij was de sociaal- economische situatie van de kunste- naars in de 18de eeuw verre van florissant; door verschillende mode- verschijnselen ondervond men veel concurrentie vanuit het buitenland en bovendien ging de aandacht van verzamelaars, als gevolg van de gezon- de Nederlandse handelsgeest, voor- namelijk uit naar oude meesters.

De eerste vijftien jaar

Nadat in 1795 de kunstverzameling van Willem V door de Fransen als oorlogsbuit uit ons land was meege- nomen, werd in 1800 in Huis ten Bosch bij Den Haag de Nationale Konst-Gallerij opengesteld, gevormd uit het restant van de stadhouderlijke verzamelingen. In dit vroegste over- heidsmuseum ging het in de eerste plaats om 17de-eeuwse meesters. Hierbij weerspiegelde de collectie een tijdens de Bataafse Republiek (1795-1806) heersend politiek ideaal: de opvoeding van zowel het publiek als de kunstenaars tot goede vader- landers, aan de hand van inspireren- de voorbeelden (voornamelijk histori- sche voorstellingen) uit de bloeitijd van de 17de-eeuwse Republiek. Mede door de slechte economische situatie kwam men aan een verbetering van de positie van de eigentijdse kunste- naars echter nauwelijks toe.
Anders werd het onder het bewind

van koning Lodewijk Napoleon, wiens beleid voor een belangrijk deel bestond uit de aanmoediging van levende kunstenaars. In 1808 nam de Franse koning zijn intrek in het Paleis op de Dam, het voormalige Amster- damse stadhuis. Ook het door hem gestichte Koninklijk Museum, de voortzetting van de Nationale Konst- Gallerij en de directe voorloper van het Rijksmuseum, werd in het paleis gehuisvest. Intussen zorgde Lodewijk Napoleon ervoor dat de collectie flink werd uitgebreid en dat een aan- tal aan de stad behorende oude mees- ters – waaronder Rembrandts *Nacht- wacht* – in het Koninklijk Museum werd geplaatst. Voorts werd er een zaal gereserveerd voor werken van levende meesters en kwam er een speciaal kabinet voor de bekroonde stukken van jonge kunstenaars die in aanmerking waren gekomen voor een reisbeurs om in Parijs en Rome hun studie te voltooien.

Verreweg het belangrijkste initiatief dat tijdens de korte regeringsperiode van Lodewijk Napoleon is genomen, was om ook hier, volgens het model van de Franse Salon, de periodieke Tentoonstellingen van Levende Meesters in te stellen. Op de eerste expositie in het Paleis op de Dam in 1808 waren ruim honderd schilderij- en te zien, ingezonden door een veer- tigtal Nederlandse kunstenaars. Aan de tentoonstelling waren ook geld- prijzen verbonden, bestemd voor onder andere het beste 'stuk van Vaderlandsche Geschiedenis', het beste genrestuk en het beste land- schap met dieren.

Een aantal van de bekroonde werken werd voor het Koninklijk Museum aangekocht, waaronder een *Land- schap met vee* door P. G. van Os uit

20 1806 (afb. 13). Dit schilderij van Van Os, dat nog immer tot de collectie van het Rijksmuseum behoort, is dus één van de eerste werken uit het prille begin van de 19de eeuw, dat in het museum is opgenomen. Een ander opmerkelijk schilderij van Van Os, een bijna twee meter hoog doek, werd weliswaar niet bekroond, maar bevindt zich als geschenk aan de Franse koning nog altijd in het Rijksmuseum (afb. 14).

afb. 14: P. G. van Os, 'Een leeuw uit de menagerie van koning Lodewijk Napoleon', 1808.

afb. 16: Henricus Franciscus Wiertz (1784-1858), 'Schelpen en zeegewassen', 1809.

afb. 15: Willem Bartel van der Kooi (1768-1836), 'De minnebrief', 1808.

De Friese kunstenaar Willem Bartel van der Kooi maakte op die eerste Tentoonstelling van Levende Meesters in 1808 eveneens furore met een schilderij dat het museum thans nog bezit. Zijn 1808 gedateerde *Minnebrief* (afb. 15), een groot neoclassicistisch figuurstuk, kreeg de prijs voor het beste *Tableau de Genre*. Hoewel dit bevallige schilderij – na door de jury te zijn geprezen om haar eenvoud en natuurlijkheid – niet door Lodewijk Napoleon werd aangekocht, is het een halve eeuw later toch nog in het Rijksmuseum terechtgekomen.

Niet tentoongesteld op één van de eerste Levende Meesters-tentoonstellingen, maar eveneens in het bezit van het museum (afkomstig uit het legaat van de kunstenaar) is de allegorische verbeelding *Vader Tijd*, van de Utrechtse schilder P. C. Wonder uit 1810 (blz. 49) – een wonderlijk schilderij, met on-Hollandse, neoclassicistische trekken. Een jaar eerder schilderde H. F. Wiertz, een Amsterdams kunstenaar die later naar Nijmegen is verhuisd, op groot formaat het bijna surrealistische stilleven *Schelpen en zeegewassen* (afb. 16). Dankzij een schenking in 1905 maakt ook dit unieke schilderij deel uit van de groep werken in het Rijksmuseum, uit de beginperiode van de 19de eeuw.

De resultaten op het gebied van de historieschilderkunst, waarvan de beoefening juist diende te worden gestimuleerd, waren teleurstellend. De prijs hiervoor ging naar het 'minst gebrekkige' onder de inzendingen, een schilderij van J. B. Scheffer (de vader van Ary), dat later in de eeuw verloren is gegaan. Voor grote *batailles* zoals die in Frankrijk door vooraanstaande historieschilders als verslaggeving van de Napoleontische oorlogen werden vervaardigd, was hier geen aanleiding. Alleen de latere *Slag bij Waterloo* van Jan Willem Pieneman uit 1824 (blz. 57), geschilderd voor koning Willem I, komt enigszins in de buurt van de in Frankrijk onder Napoleon vereeuwigde oorlogstaferelen. Dit spektakelstuk, dat sinds jaar en dag een prominente plaats inneemt op de afdeling Nederlandse Geschiedenis van het Rijksmuseum, is nog steeds koninklijk bezit.

Terwijl er onder Lodewijk Napoleon aanzienlijk meer geld is uitgegeven aan Nederlandse oude meesters dan aan eigentijdse kunst, hebben zijn initiatieven op het gebied van de kunst-

bevordering in ons land wel degelijk hun vruchten afgeworpen. Het evenment van 1808 heeft tot gevolg gehad, dat gedurende de gehele 19de eeuw, aanvankelijk om de twee jaar in Amsterdam en later ook in andere plaatsen van ons land, de Tentoonstellingen van Levende Meesters hebben plaatsgehad. Voor de kunstenaars vormden deze manifestaties hét middel om hun werk aan het publiek te tonen en om de verkoop ervan te bevorderen. Vrijwel alle rijksaankopen op het gebied van de eigentijdse kunst geschiedden in de vorige eeuw dan ook naar aanleiding van deze tentoonstellingen.

Nog een ander feit, dat in verband met Lodewijk Napoleon moet worden genoemd, is de oprichting (in 1808) van het Koninklijk Instituut van Wetenschappen, Letterkunde en Schone Kunsten, een adviesorgaan

van de overheid. In de Vierde Klasse van dit Instituut, een kopie van het Franse 'Institut National', waren de schone kunsten ondergebracht. De activiteiten van de Vierde Klasse, waarvan veel vooraanstaande kunstenaars lid zijn geweest, bepaalden zich grotendeels tot het terrein van de eigentijdse kunst. Ook bij de organisatie van de Tentoonstellingen van Levende Meesters is de Vierde Klasse in de eerste helft van de 19de eeuw betrokken geweest. Daar komt nog bij, dat het Koninklijk Instituut van 1817 tot 1885 een huisgenoot van het Rijksmuseum is geweest, toen beide instellingen waren gevestigd in het Trippenhuis te Amsterdam (afb. 17). Thans herinnert aan de aanwezigheid van de Franse koning in ons land een immens portret van de vorst, ten voeten uit, in 1809 geschilderd door de uit Engeland afkomstige kunstschilder

afb. 17: Het Trippenhuis op de Kloveniersburgwal omstreeks 1836, met op de achtergrond de Waag, tekening door Augustus Wijnantz (1795-na 1848).

Charles Howard Hodges (afb. 18). Hodges, die zich in 1788 voorgoed in Holland gevestigd had, is tot aan zijn dood een gevierd portretschilder geweest van hoogwaardigheidsbekleders en van vooraanstaande figuren uit de Nederlandse burgerij. Zo bezit het Rijksmuseum van zijn hand naast het statieportret van Lodewijk Napoleon onder meer een in olieverf geschetst portret van koning Willem I (afb. 19).

Rome en Parijs

Niet minder ambitieus dan de door koning Lodewijk Napoleon op touw gezette Tentoonstellingen van Levende Meesters, was zijn introductie van een aangepaste versie van de Franse 'Prix de Rome': een selecte groep van jonge veelbelovende kunstenaars werd door een overheidssubsidie in staat gesteld, hun studie in het buitenland te voltooien. Daartoe werden ze twee jaar naar Parijs en twee jaar naar Rome gezonden, om zich in de ateliers van grote meesters als David verder in het door hen

afb. 19: Charles Howard Hodges (1764-1837), 'Willem I, koning der Nederlanden'.

afb. 18: Charles Howard Hodges (1764-1837), 'Lodewijk Napoleon, koning van Holland van 1808 tot 1810'.

gekozen genre te bekwamen. Als voorwaarde werd gesteld dat de uitverkoren kunstenaars ('pensionnaires' of 'kwekelingen' genoemd) regelmatig werk naar het vaderland zouden sturen als proeve van hun vorderingen. Deze verplichte inzendingen werden in 1808 en 1810 op de Tentoonstellingen van Levende Meesters in Amsterdam aan het publiek getoond. Van de dertien kwekelingen die onder Lodewijk Napoleon van de beurs hebben geprofiteerd, moeten de historieschilder J. E. C. Alberti en de landschapschilder Pieter Rudolph Kleyn hier met name worden genoemd. Verschillende van de door hen opgestuurde werken zijn namelijk – min of meer bij toeval – in rijksbezit gebleven, zoals Alberti's theatrale Romeinse stuk *Proculejus weerhoudt Cleopatra ervan zich te doorsteken* uit 1810 (blz. 69) en Kleyns sfeervolle en voor een Hollands kunstenaar bijzonder ongewone schilderij *Het Park van St. Cloud te Parijs* uit 1809 (blz. 61).

Ook andere door Lodewijk Napoleon begunstigde Rome-gangers, als Abraham Teerlink, A. S. Pitloo en J. A. Knip zijn met Italiaanse landschappen in het Rijksmuseum vertegenwoordigd (afb. 20); in hun geval gaat het echter om schilderijen die pas later, dus niet als leerlingenwerk, op de markt zijn gekomen. Een bekend voorbeeld van zo'n Italiaans schilderij is Knips *De Golf van Napels met op de achtergrond het eiland Ischia*, dat in 1818 in Amsterdam op de Levende Meesters-tentoonstelling voor het museum werd aangekocht (blz. 83). Overigens zijn gedurende de gehele 19de eeuw kunstenaars volgens de aloude traditie, meestal op eigen kosten, naar het zuiden afge-

reisd om zich in Parijs of Rome in hun vak te bekwamen. Een van hen was de Amsterdammer Cornelis Kruseman die in 1821 zijn ouderlijk huis verliet om zijn eerste, ruim drie jaar durende studiereis naar Italië te ondernemen. Voor hem, zo blijkt uit zijn in 1826 uitgegeven reisverslag en uit de schilderijen die hij tijdens en na deze Italiaanse reis produceerde, is de confrontatie met Rafaël van doorslaggevende betekenis geweest. Zijn religieus getinte *Godsvrucht* (ca. 1823) en het bijbelse tafereel *De bewening van Christus* uit 1830 getuigen hier ook van (blz. 71). Later, na 1850, waren Brussel, Parijs en de omgeving van het Franse plaatsje Barbizon de kunstcentra en trekpleisters voor zowel aankomende als gevorderde Nederlandse kunstenaars. De invloed vanuit Frankrijk op de moderne Hollandse landschapschilderkunst is echter een verhaal apart, en komt elders ter sprake. Ook het door Cornelis Kruseman geïntroduceerde genre van de pittoreske Italiaanse volkstaferelen met biddende meisjes, bedelaars en musicerende

afb. 20: Antonie Sminck Pitloo (1790-1837), 'De kerk van San Giorgio in Velabro te Rome', 1820.

afb. 21: Jacob Maris (1837-1899), 'Kippetjes voeren', 1866.

herders, is gedurende de rest van de eeuw door verschillende kunstenaars beoefend. Zelfs de Haagse School-kunstenaar Jacob Maris heeft zich in zijn Parijse tijd in navolging van sommige van zijn Franse tijdgenoten toegelegd op het uitbeelden van Italiaanse volkstypen, zij het op modernere wijze dan zijn voorganger Kruseman (afb. 21).

Van de Slag bij Waterloo tot de Belgische Opstand in 1830

In 1810 werd Lodewijk Napoleon naar zijn vaderland teruggeroepen, en werd Holland ingelijfd bij Frankrijk. Van een kunstbeleid was tijdens de Franse tijd, die duurde tot 1813, in ons land geen sprake. Maar direct na de benoeming van Willem I tot koning der Nederlanden in 1814 werden veel van de door Lodewijk Napoleon geïntroduceerde hervormingen verder doorgevoerd. Ook de nieuwe Oranjevorst zag overheidstaken in het stimuleren van de kunstbeoefening en in een actief museumbeleid. Naast het tot Rijksmuseum omgedoopte museum te Amsterdam beheerde hij het Koninklijk Kabinet van Schilderijen in Den Haag, sinds 1821 gevestigd in het Mauritshuis. Voor de beide rijksmusea werden onder Willem I in vijftien jaar ca. 300 werken van eigentijdse Noord- en Zuidnederlandse kunstenaars aangekocht.

Het feit dat het historiestuk binnen de hiërarchie der genres nog altijd bovenaan stond, heeft voor de samenstelling van deze moderne kunstverzameling nauwelijks gevolgen gehad: vooral landschappen, veestukken, portretten, interieurstukjes en andere genretaferelen – meestal van een handzaam formaat – werden in de

24

musea opgenomen. Illustratief voor het soort kabinetstukjes dat in deze tijd door het Rijk werd verworven, is onder meer de gedetailleerd geschilderde *Jagerswoning* van de thans vergeten Brusselse kunstenaar Henri Voordecker uit 1826 (afb. 22). Wat betreft de historieschildering ging het na 1814 slechts in een enkel geval om de heroïserende verbeelding van het recente vaderlandse verleden. Een voor de hand liggend onderwerp was natuurlijk de in 1815 gevoerde strijd bij Waterloo, de definitieve nederlaag van Napoleon. De prins van Oranje, de latere koning Willem II, speelde op het slagveld een heldhaftige rol en hij is dan ook één van de hoofdfiguren op het reeds genoemde grote schilderij van Jan Willem Pieneman (blz. 57).
De *Slag bij Waterloo* en nog een paar andere stukken van Pieneman en Cornelis Kruseman vormen een uitzondering; het historische genre als een min of meer directe, officiële reportage van eigentijdse gebeurtenissen, is in ons land nooit succesvol

geweest. Na 1840 kreeg de historieschilderkunst, dankzij particuliere initiatieven, een nieuwe injectie. Toen ging het echter om anekdotische of cultuur-historische voorstellingen uit de vaderlandse geschiedenis. Een bekend voorbeeld van het soort historiestukjes dat onder Willem I populair was, is *Van Speyk op het moment voordat hij het kruit zal doen ontbranden* – een in 1834 door J. Schoemaker Doyer geschilderde episode uit het Nederlandse verzet tegen de Belgische Opstand (blz. 81).
Vrijwel direct na het aantreden van Willem I werden er plannen gemaakt voor een grootscheepse verhuizing van het Rijksmuseum, van het Paleis op de Dam naar het Trippenhuis aan de Kloverniersburgwal. Een belangrijk adviseur van de koning bij deze en andere ondernemingen was Cornelis Apostool, die van 1808 tot aan zijn dood in 1844 de directeur van het museum is geweest (afb. 23). Zijn adviezen inzake de aankopen op de Tentoonstellingen van Levende

Meesters waren van doorslaggevende betekenis. Apostool had behalve een goed gevoel voor kwaliteit een sterk gevoel van verantwoordelijkheid ten opzichte van de door hem beheerde collectie (afb. 24). Zo achtte hij het noodzakelijk voor het behoud van de schilderijen, dat deze uit het Paleis verwijderd zouden worden. In 1817 kon het hernieuwde Rijksmuseum in

afb. 23: Charles Howard Hodges (1764-1837), Cornelis Apostool.

afb. 24: Cornelis Apostool (1762-1844), 'Het dal van de Anio met de watervallen van Tivoli'.

afb. 22: Henri Voordecker (1779-1861), 'Jagerswoning', 1826.

afb. 23.

afb. 24.

het Trippenhuis voor het publiek worden geopend. Oude en moderne kunst waren hier onder één dak verenigd (afb. 25 en 26), tot in 1838 de schilderijen van levende meesters samen met die uit het Mauritshuis naar Paviljoen Welgelegen in Haarlem verhuisden. Op dit 'museum voor moderne kunst' komen we hieronder nog terug. Wat betreft de oude kunst is het Trippenhuis tot de volgende verhuizing in 1885 synoniem geweest met het Rijksmuseum: wilde men de *Nachtwacht* zien, dan ging men naar het Trippenhuis.

Een instelling, waarover onder koning Lodewijk Napoleon al druk gepraat was, maar die pas onder Willem I tot stand kwam, was een officiële kunstacademie. Om tot werkelijke bloei van de beeldende kunsten te komen, zoals ons land die ook in de 17de eeuw had gekend, was naast een goed museum ook degelijk kunstonderwijs een eerste vereiste. Hiertoe kwamen er op instigatie van Willem I twee academies, één in Antwerpen en één in Amsterdam. De laatste diende ter vervanging van de plaatselijke tekenacademie. Vanaf 1822 konden de lessen aan de Koninklijke Akademie te Amsterdam worden gevolgd; de eerste directeur was Jan Willem Pieneman, die twee jaar later de *Slag bij Waterloo* zou schilderen.

Koning Willem II

De opstand van de Belgen tegen het Noordnederlandse gezag in 1830, met als gevolg de afscheiding van de Belgen negen jaar later, markeert het einde van een voorspoedig tijdperk in de geschiedenis van het Rijksmuseum. De moeilijke economische situatie waarin ons land kwam te verkeren, was fnuikend voor de verzamelactiviteiten van de overheid en er werd nauwelijks meer aangekocht. Noch Apostool, noch Pieneman, die in 1844 de eerstgenoemde opvolgde als directeur van het Rijksmuseum, kon enige invloed uitoefenen op deze stagnatie. Daarbij kwam dat koning Willem II, die in 1840 zijn vader opvolgde, meer belangstelling had voor zijn privé-verzameling dan voor die van het Rijk (afb. 27).

De bemoeienissen van Lodewijk Napoleon en Willem I met de beeldende kunsten waren vooral gericht geweest op het stimuleren van een bedrijfstak, en het meeste van hun aanwinsten kwam ten goede aan het Rijk. Voor Willem II telde zijn eigen esthetisch genot. Toen zijn fraaie collectie schilderijen, waaronder 162 werken van moderne meesters, een jaar na zijn overlijden in 1850 werd geveild, ging deze als geheel voor Nederland verloren. Eén van de stukken die op deze veiling voorkwamen, was de indrukwekkende *Schipbreuk* van Wijnand Nuyen uit omstreeks 1836 (blz. 77). Thans is de *Schipbreuk*, in 1974 door het Rijksmuseum aangekocht, door zijn aan de Franse romantiek ontleende stijlkenmerken een sleutelstuk binnen de collectie. Hoe de verzameling van het Rijksmuseum in de loop van de 19de eeuw dankzij particuliere initiatieven toch aanzienlijk werd uitgebreid met kunstwerken van moderne meesters, komt nog aan de orde.

afb. 26: Interieur van de achterkamer van het Prentenkabinet van het Trippenhuis, gezien naar de voorzijde van het huis. Tekening uit 1838, door Gerrit Lamberts.

afb. 25: Interieur van beide voorzalen op de tweede verdieping van het Trippenhuis, vanuit de grote zaal gezien naar de kleine. Tekening uit ca. 1845, door Gerrit Lamberts.

afb. 26.

Paviljoen Welgelegen, een museum voor moderne kunst

In 1838 verhuisden de schilderijen van levende meesters van het Trippenhuis te Amsterdam en van het Haagse Mauritshuis naar Paviljoen Welgelegen in Haarlem. Het plan voor dit aparte museum voor eigentijdse kunst stamde nog uit de tijd van Lodewijk Napoleon. Dat het uiteindelijk werd uitgevoerd, kwam mede door het ruimtegebrek waarmee men in het Trippenhuis te kampen kreeg. Het Paviljoen Welgelegen werd aan het eind van de 18de eeuw gebouwd voor de Amsterdamse bankier Henry Hope, onder andere om er zijn kunstcollectie in te herbergen. Het paleisje werd in 1808 door Lodewijk Napoleon gekocht. Na het vertrek van de Franse vorst werd het door koning Willem I in 1814 ten gebruike afgestaan aan zijn moeder, de weduwe van stadhouder Willem V, die er tot aan haar dood in 1820 's zomers verblijf hield. Sindsdien werd Paviljoen Welgelegen niet meer gebruikt en in 1828 bepaalde Willem I dat het gebouw een museale functie zou krijgen. De realisering van dit idee werd echter ernstig vertraagd door de Belgische Opstand en uiteindelijk heeft de restauratie van het Paviljoen, onder toezicht van Cornelis Apostool, ruim tien jaar geduurd. Apostool zelf was een voorstander van het nieuwe museum, aangezien het hem zinvol leek dat de oude en de nieuwe kunst afzonderlijk van elkaar getoond werden. En dit zeker in een tijd, vond hij, waarin kunstenaars een nieuwe stijl ontwikkelden, waarmee hij doelde op de romantiek.

Aanvankelijk werd bij de opening in 1838 van de 'Verzameling van Schilderijen van Levende Meesters' in

afb. 27: Jan Adam Kruseman (1804-1862), 'Willem II (1792-1849) koning der Nederlanden', 1840.

het Paviljoen bepaald, dat de stukken tot vijf jaar na het overlijden van hun maker in Haarlem zouden blijven. Daarna zouden ze worden teruggezonden naar Amsterdam of Den Haag: zo zou er enige afwisseling in de presentatie ontstaan. Spoedig werd deze maatregel opgeheven, want al sinds 1830 was er geen geld meer geweest voor nieuwe aankopen, terwijl als gevolg van de afgesproken regeling verschillende topstukken uit Welgelegen dreigden te verdwijnen. Voor een actief museumbeleid heeft Apostool geen kansen gehad en ook de conservering van de schilderijen in het Paviljoen vormde een groot probleem.

In den beginne omvatte de verzameling in het Haarlemse museum ongeveer 300 schilderijen; hoe de stukken er waren opgehangen weten we helaas niet, wel dat ze waren gerangschikt naar de Hollandse en Vlaamse School. Het pronkstuk van de collectie was Pienemans *Slag bij Waterloo* (blz. 57). Na het overlijden van Apostool kreeg de Raad van Bestuur van het Rijksmuseum, waarvan ook Pieneman lid was, de directie over Welgelegen. In 1876 kreeg het Paviljoen als gevolg van een reorganisatie van de rijksmusea een zelfstandige status en de kunstschilder E. Koster, sinds 1858 als 'museumopzichter' aan het Paviljoen verbonden, werd directeur. Een succes is het museum nooit geworden, en, hoe pijnlijk ook, achteraf gezien lijkt het niet meer dan een depot te zijn geweest voor een overtollig kunstbezit. Pas in 1860 werden er door de regering weer enige werken voor Paviljoen Welgelegen aangekocht, maar tegelijkertijd zijn er in dat jaar (en nogmaals in 1878) tientallen werken afgestoten, die de

verzameling 'ontsierden'. Welke schilderijen precies zijn opgeofferd bij deze opruiming, is moeilijk te achterhalen.

Toen in 1885 de collectie moderne schilderijen naar de nieuwe behuizing van het Rijksmuseum in Amsterdam werd overgebracht, om weer met de oude meesters uit het Trippenhuis te worden verenigd, waren er nog 190 kunstwerken over.

Particulier initiatief

Wat de kunstbevorderende maatregelen van de overheid in de eerste drie decennia van de vorige eeuw in ieder geval teweeg hebben gebracht, waren een toename van het aantal kunstenaars en een verhoging van hun status. En waar enerzijds de regering na 1830 om economische redenen verstek moest laten gaan, bleek anderzijds een gunstig klimaat te zijn geschapen voor de verkoop van kunst aan particulieren – de belangstelling was immers gewekt, en het aanbod was groot. Daarbij werd in de loop van de 19de eeuw, toen op de markt zowel vraag als aanbod sterk stegen, de kunsthandel een steeds belangrijker schakel tussen kunstenaar en verzamelaar, en ook de Tentoonstellingen van Levende Meesters bleven in een bepaalde behoefte voorzien. Dat de collectie van het Rijksmuseum met betrekking tot de kunst van na 1830 toch noch regelmatig is vergroot, is dan ook te danken aan een reeks van genereuze legaten en schenkingen, die het sinds de opening van Cuypers' gebouw in 1885 van privé-verzamelaars heeft mogen ontvangen. Een thans niet meer weg te denken onderdeel van de schilderijenverzameling is bijvoorbeeld de collectie van de bankier Adriaan van der Hoop,

28

in 1854 door hem aan de stad Amsterdam gelegateerd. Met dit uit 225 stukken bestaande legaat, dat in 1885 in het Rijksmuseum werd geplaatst, kwamen niet alleen Vermeers *Brieflezende vrouw* en het *Joodse bruidje* van Rembrandt binnen, maar ook zestig 19de-eeuwse schilderijen. Een typisch voorbeeld uit deze collectie is het portret van een van de paarden van Van der Hoop, *De harddraver 'de Rot'*, in 1828 vervaardigd door Anthony Oberman (blz. 79). Gelukkigerwijs werd met het legaat van Van der Hoop een lacune voorkomen, die er anders ten aanzien van een voor het museum zeer ongunstige periode zou zijn geweest.

Voorts waren het de kunstenaars zelf, die initiatieven namen om hun maatschappelijke positie te handhaven of te verbeteren. Want onder velen van hen heerste grote ontevredenheid: van een opbloei van de kunsten, waar het stimulerende beleid van Willem I op gericht was geweest, kwam door de economische crisis van na 1830 weinig terecht. Tegelijkertijd bleef een daadwerkelijke belangenbehartiging van de kunstenaars door de Vierde Klasse van het Koninklijk Instituut nagenoeg uit. De behoefte aan verbroedering werd algemeen gevoeld, en in 1839 werd als een antwoord op de bestaande problemen door een aantal Amsterdamse kunstenaars de Maatschappij Arti et Amicitiae opgericht.

De doelstellingen van de nieuwe kunstenaarsvereniging – de naam zegt het al – waren de bevordering van de beeldende kunsten én de bevordering van de onderlinge contacten. Onder de oprichters van Arti bevonden zich de vijf directeuren van de Koninklijke Akademie: de schilders

Jan Willem Pieneman en Jan Adam Kruseman, de architect M. G. Tetar van Elven, de Franse graveur Taurel en de uit Mechelen afkomstige beeldhouwer Louis Royer (afb. 28). Naast kunstenaarsleden werden er bovendien kunstlievende leden tot de Maatschappij toegelaten en ook, als honoraire leden, een indrukwekkend aantal prominente figuren. Tevens verklaarden verschillende niet-Amsterdamse kunstenaars van de partij te willen zijn, onder wie de Hagenaars Johannes Bosboom, Andreas Schelfhout en Charles Rochussen. Nadat men in 1840 reeds de koninklijke goedkeuring had ontvangen, namen koning Willem II en koningin Anna Paulowna in 1841 de titel van beschermheer en -vrouwe van Arti aan.

Al snel groeide Arti uit tot een invloedrijk instituut, dat door een actief gevoerd beleid veel voor haar leden, en voor de beeldende kunsten in het algemeen betekende. Er werden onder meer 'kunstbeschouwingen' georganiseerd: bijeenkomsten waarbij de kunstenaars zich met hun portefeuilles rond een grote tafel schaarden, om hun werk aan elkaar en aan kunstminnenden van buitenaf te tonen (afb. 29). In de bovenzaal van het Arti-gebouw aan het Rokin werden tentoonstellingen gehouden, aanvankelijk alleen van werk van leden, maar later ook van oude kunst en kunstnijverheid uit particulier bezit. Ook bij de organisatie van grote evenementen op landelijk niveau, zoals de Rembrandtfeesten van 1852, die nog ter sprake zullen komen, waren de leden van Arti nauw betrokken. Bovendien is de sociëteit, die ook nu nog bestaat, altijd een druk bezochte ontmoetingsplaats geweest.

In 1847 werd in navolging van de Amsterdamse vereniging in Den Haag het genootschap Pulchri Studio opgericht, door onder anderen Johannes Bosboom, Willem Roelofs en J. H. Weissenbruch. Ook deze kunstenaarsvereniging genoot het beschermheerschap van Willem II. Net als bij Arti werden er door de leden van Pulchri kunstbeschouwingen en tentoonstellingen gehouden; na 1860 zou Pulchri vooral een bolwerk vormen voor de schilders van de Haagse School.

afb. 28: Charles van Beveren (1809-1850), 'de beeldhouwer Louis Royer (1793-1868)', 1830.

Koning Willem III

In 1849 begon de regeringsperiode van koning Willem III. De nieuwe koning mag dan niet zo'n gepassioneerd verzamelaar als zijn vader zijn geweest, wel droeg hij de kunsten een warm hart toe. Vanzelfsprekend volgde hij Willem II op als beschermheer van Arti; ook de banden met de zuster-vereniging Pulchri Studio in Den Haag werden gecontinueerd. Met zijn gemalin koningin Sophie en met andere leden van het Koninklijk Huis bezocht Willem III regelmatig de tentoonstellingen van eigentijdse kunst, waarbij hij vaak tot aankopen overging (afb. 30). Wat zijn verzameling betrof, hadden vooral tekeningen zijn grote liefde. Op een in 1860 in Arti gehouden tentoonstelling van tekeningen van levende meesters – de eerste van dit soort die er in Nederland plaats vond – verwierf hij maar liefst 26 van de toen verkochte 62 bladen. In de jaren '70 echter, toen hij druk doende was met de bouw van een kunstzaal bij Paleis het Loo, was zijn aandacht meer gericht op de schilderkunst. Zijn smaak was hierbij nogal traditioneel, werk van moderne Haagse School-kunstenaars heeft hij zelden gekocht.

Vanaf 1870 kende de koning naar aanleiding van de Arti-tentoonstellingen jaarlijks medailles toe aan jonge kunstenaars, die zich onderscheidden door oorspronkelijk talent. Voorts loofde hij ieder jaar een gouden medaille uit voor een meesterwerk. Nog een ander belangrijk initiatief van Willem III was de instelling van de koninklijke subsidies voor beginnende kunstenaars, die net als onder Lodewijk Napoleon als 'pensionnaires' van de koning – tijdelijk – zonder geldzorgen verder konden studeren. Hoewel het een feit is, dat koning Willem III tot aan zijn dood in 1890 de beeldende kunsten persoonlijk heeft ondersteund, heeft hij niet, zoals zijn grootvader Willem I, het regeringsbeleid ten aanzien van de kunsten mede kunnen bepalen. Sinds de grondwetswijziging van 1848 was de invloed van de koning op het regeringsbeleid sterk teruggedrongen. De sindsdien optredende overwegend liberale ministeries kozen voor de staatsonthouding met betrekking tot de kunst. De collectie van Willem III was dan ook niet de collectie van het Rijk, en is dus ook niet in het bezit gekomen van het Rijksmuseum. Wel is de verzameling van deze koning, in tegenstelling tot die van Willem II, grotendeels bewaard gebleven als blijvend onderdeel van de collectie van het Koninklijk Huis.

afb. 29: 'Een kunst-beschouwing met dames in de kunst-zaal van Arti in 1851', ets van J. de Mare naar een tekening van Charles Rochussen.

afb. 30: J. B. Tetar van Elven (1805-1889), 'koning Willem III en de prins van Oranje bezoeken Arti', 1860.

Een nieuw 'vaderlands gevoel'

'Het Vaderlandsch Gevoel' was de term die in 1818 voorkwam in een dichtwerk, geschreven naar aanleiding van de in dat jaar in Amsterdam gehouden Tentoonstelling van Levende Meesters. Hiermee bedoelde de schrijver het gevoel van vaderlandsliefde, bij hem opgewekt bij het zien van schilderijen met onderwerpen uit de vaderlandse geschiedenis. Zoals we zagen was de historieschilderkunst in die dagen echter verre van een bloeiend genre. Daar kwam verandering in, na de Belgische Opstand van 1830. Gekrenkt in hun nationale trots, zochten de Noordnederlanders naar een nieuwe identiteit: een nieuw 'vaderlands gevoel'. Van de schilders werd verwacht, dat zij dit nationale bewustzijn bevestigden door de uitbeelding van onderwerpen uit de geschiedenis van eigen land en volk. Zij moesten *door het penseel den indruk van het goede en groote in onze geschiedenis verlevendigen en versterken*, aldus de literator E. J. Potgieter. Voorts sprak Potgieter in zijn beroemde opstel *Het Rijks-Museum te Amsterdam* in 1844 de wens uit, dat het museum met nieuwe historiestukken zou worden aangevuld. Doel van de 'nieuwe' historieschilderkunst was naast de verheerlijking van het glorieuze verleden, de opvoeding van de beschouwers tot deugdelijke vaderlanders, aan de hand van goede en slechte voorbeelden uit onze geschiedenis.

Het Rijksmuseum bezit meerdere historiestukken uit de periode 1830-1860, die de categorie van het 'vaderlands gevoel' illustreren. Van Cornelis Kruseman bijvoorbeeld, is er het imponerende stuk *Het vertrek van Philips II uit de Nederlanden, in 1559,*

afb. 31: Cornelis Kruseman (1797-1857), 'Het vertrek van Philips II uit de Nederlanden in 1559', 1832.

uit 1832 (afb. 31). Dat dit schilderij al sinds lange tijd door het museum in bruikleen is afgestaan aan het gebouw van de Tweede Kamer in Den Haag, moge betekenen dat het zijn functie nog steeds vervult! Simon Opzoomer schilderde omstreeks 1848 *Magdalena Moons bij Valdez*, een tafereel dat zich in 1574 afspeelde in het Spaanse legerkamp (blz. 91). Tekenend voor de liefde die men behalve voor krijgshelden, ook voor kunstenaars uit vroeger tijd opvatte,

is de fijn geschilderde voorstelling *De prinses van Oranje bezoekt het atelier van Bartholomeus van der Helst, in 1652* van H. J. Scholten (blz. 105).

De Rembrandtfeesten van 1852

Behalve Van der Helst zijn vele andere kunstenaars uit de roemrijke Gouden Eeuw in de 19de eeuw als helden vereerd. Niet alleen trachtten de schilders hun illustere voorgangers in hun eigen kunst na te volgen, ook verdiepte men zich in de levens

van de grote meesters. Een van hen was uiteraard Rembrandt, wiens carrière vaak tot onderwerp werd gekozen. Als apotheose van de Rembrandt-verering werd in 1852 in Amsterdam een standbeeld opgericht ter nagedachtenis van de geniale kunstenaar (afb. 32).

In 1840, een jaar na de definitieve afscheiding van België, verrees in Antwerpen een monument voor Rubens. Het lag voor de hand dat ook Nederland ter bevestiging van zijn identiteit een schilder tot nationale held verhief. Dat juist Rembrandt

werd uitverkoren, was evenmin een verrassing, gezien de hernieuwde waardering voor zijn genie en het vernieuwende onderzoek naar zijn leven dat toen op gang kwam. Toen na twaalf jaren van voorbereiding het door de beeldhouwer Louis Royer ontworpen standbeeld uiteindelijk gereed was, kon het op 27 mei 1852 op de Amsterdamse Botermarkt (het huidige Rembrandtsplein) door koning Willem III worden onthuld. Rond deze plechtige onthulling vonden er tal van festiviteiten plaats. Zo was er een avondfeest in het Park

aan de Plantage Middenlaan, waar zich toen ook al Artis en de Hortus Botanicus bevonden. De Parkzaal was hiertoe versierd met geschilderde decoraties, waaraan zo'n dertig kunstenaars van naam hun medewerking hadden verleend.

De decoratie in de Parkzaal bestond uit een serie van achtentwintig historische en allegorische taferelen, die Rembrandts leven en de bloei van de 17de-eeuwse Republiek verbeeldden. Vier historiserende stadsgezichten stelden de plaatsen voor waar Rembrandt verblijf zou hebben gehouden. De bekende stadsgezicht-schilders Cornelis Springer en Kaspar Karsen namen Den Haag voor hun rekening. Hun bijdrage, het reusachtige doek *Gezicht op Den Haag vanaf de Delftse Vaart in de 17de eeuw* (blz. 99), is in 1989 door het Rijksmuseum verworven en is voor zover bekend het enige bewaard gebleven schilderij van de gehele Rembrandt-cyclus.

Terwijl het de Haagse kunstschilder Johannes Bosboom was geweest, die tijdens een kunstenaarsfeest in 1840 het idee lanceerde om een Rembrandtbeeld op te richten, was de organisatie van de feesten van 1852 grotendeels in handen van de Amsterdamse kunstenaarsvereniging Arti et Amicitiae. Louis Royer, die het beeld maakte, was één van de oprichters van Arti geweest. Een ander actief Arti-lid, Pierre Louis Dubourcq, was speciaal belast met het toezicht op de totstandkoming van de decoraties in de feestzaal. Overigens heeft Dubourcq ook bestuursfuncties bekleed bij het Rijksmuseum. Aan zijn talent als schilder herinnert zijn romantische landschap *De begraafplaats te Baden-Baden* uit 1855 (blz. 93).

afb. 32: Het gipsmodel voor het Rembrandtbeeld tentoongesteld in het Trippenhuis, een aquarel van J.B. Tetar van Elven (1805-1889) uit 1851.

32

Naast een eerbetoon aan Rembrandt, vormden de oprichting van zijn standbeeld en de feesten eromheen voor de initiatiefnemers een middel om de aandacht op hun eigen maatschappelijke positie te vestigen. En volgens een verklaring van Dubourcq, begin 1852, was het de bedoeling middels de Rembrandt-cyclus een nieuwe impuls te geven aan de historieschilderkunst en zo te bewijzen, *dat de Nederlandsche School indien het haar gevraagd wordt niet schroomt het groot historiëel vak te behandelen.* Twee volgende ondernemingen die de historieschilderkunst uit het slop moesten halen, waren de beide 'Historische Galerijen' in Amsterdam.

Twee 'Historische Galerijen'

De Amsterdamse assuradeur en verzamelaar van 17de-eeuwse tekeningen, Jacob de Vos Jbzn. (afb. 33), begon in 1850 met de uitvoering van een reeds lang bestaand plan: het bijeenbrengen van een reeks olieverfschetsen, die te zamen de vaderlandse geschiedenis in beeld brachten. Met deze 'Historische Galerij' beoogde De Vos enerzijds de belangstelling voor het Nederlandse verleden te stimuleren, anderzijds *steun te verlenen aan jonge schilders bij hunne schreden op een loopbaan, die bij velen bezwaarlijk in hun onderhoud voorzag.* Toen omstreeks 1863 het project gereed was, telde de Historische Galerij 252 werken (kleine, schetsmatige schilderijtjes) en kon men de vaderlandse geschiedenis vanaf het begin van onze jaartelling tot en met het jaar 1861 aanschouwen. De Galerij was ondergebracht in een speciaal daarvoor gebouwd paviljoen in de tuin van De Vos. In het totaal hebben negenentwintig kunstenaars aan de Galerij De Vos meegewerkt, onder wie Jozef Israëls, Laurens Alma Tadema en Charles Rochussen. De laatste schilderde zevenentwintig doeken voor De Vos en had bovendien een leidinggevende functie bij de totstandkoming van de Galerij (afb. 34).

In 1883 kwam de Historische Galerij in het bezit van Arti, om na enige omzwervingen in onze eeuw ten slotte in de collectie van het Amsterdams Historisch Museum te worden opgenomen. Een echte opleving van de historieschilderkunst heeft De Vos met zijn onderneming niet kunnen bewerkstelligen, maar in ieder geval heeft hij een flink aantal kunstenaars van opdrachten kunnen voorzien, daar waar de overheid als opdrachtgever verstek liet gaan.

Met dezelfde doelstellingen als De Vos, heeft ook de Maatschapij Arti et Amicitiae een Historische Galerij opgericht. Toen Arti na een verbouwing in 1856 over twee ruime kunstzalen beschikte, opperden Cornelis Springer en L. Lingeman het idee om die te decoreren met taferelen uit de vaderlandse geschiedenis. Die zouden getoond kunnen worden, wanneer er geen tijdelijke expositie was. Opnieuw werd een groot aantal schilders uitgenodigd – zowel leden als buitenleden van Arti – om de plannen te verwezenlijken. In 1862 kon het eerste gedeelte van de Galerij door koning Willem III worden geopend; in 1864 was de serie nagenoeg compleet. De Historische Galerij omvatte toen 103 schilderijen – van verschillend formaat –, vervaardigd door 77 kunstenaars. Onder hen bevonden zich wederom Charles Rochussen en Jozef Israëls, maar ook gevestigde landschapschilders als Andreas Schelfhout en J. W. Bilders.

Veel van de voorstellingen waren cultuur-historisch van aard, zonder dat zij, zoals bij de Galerij van De Vos het geval was, een specifieke historische gebeurtenis tot onderwerp hadden. Nadat de Historische Galerij van Arti in de eerste jaren veel publiek had getrokken, liep het bezoekersaantal meer en meer terug. In 1895 werd de Arti-galerij aan een kunsthandelaar verkocht en in de loop der jaren is de verzameling uiteen gevallen en verspreid geraakt. In vergetelheid geraken zal deze curieuze Galerij echter niet, al is het alleen maar omdat het Rijksmuseum in 1988 de gelukkige eigenaar werd van het aantrekkelijke schilderij van Gerard Bilders uit 1864, *Jacob van Ruisdael, een watermolen schetsend.*

afb. 33: Nicolaas Pieneman (1809-1860), 'portret van Jacob de Vos Jacobszoon (1803-1878)', 1860.

afb. 34: Charles Rochussen (1814-1894), 'Het beleg van Haarlem in 1572', 1853.

afb. 36: Johannes Christiaan Schotel (1787-1838), 'Schepen op een onstuimige zee'.

afb. 35: Johan Hendrik Louis Meijer (1809-1866), 'Zelfportret', 1838.

Romantiek en Haagse School

Het ontstaan van de collectie 19de-eeuwse schilderijen binnen het Rijksmuseum is hierboven fragmentarisch behandeld. Over het belang van de verzameling in kunsthistorisch opzicht is nog weinig gezegd. Het is echter een feit dat de ruim 700 schilderijen, vaak aan de hand van uitzonderlijke voorbeelden, de ontwikkeling van de gehele Nederlandse schilderkunst uit de vorige eeuw – van het begin tot het eind – illustreren. De besprekingen van de afzonderlijke schilderijen, in chronologische volgorde in het volgende gedeelte van dit boek, laten in vogelvlucht-beschouwing de opeenvolgende stijlperiodes zien. Daaraan voorafgaand dient in het kort nog enige aandacht te worden besteed aan de twee meest karakteristieke stromingen binnen de Nederlandse 19de-eeuwse schilderkunst: de romantiek van vóór 1850, en het Haagse impressionisme in de tweede helft van de eeuw.

De Nederlandse romantiek, 1820-1850

De romantiek heeft in Holland geklapwiekt zonder op te vliegen, heeft de letterkundige Gerard Brom in 1922 eens verklaard. Hij doelde hiermee zowel op de literatuur uit de eerste helft van de vorige eeuw, als op de schilderkunst. Want anders dan in Engeland, Frankrijk en Duitsland, waar kunstenaars als Constable, Delacroix en Caspar David Friedrich de romantische beweging aanvoerden, was er in ons land geen sprake van diepgaande theorieën of van de heftige controverse classicisme-romantiek zoals die elders werd uitgevochten. De contemporaine Nederlandse kunstkritiek beschouwde de grillige en bonte schilderwijze van de Franse kunste-

naars zelfs als een gewaagde en te wilde manier van werken. Hier bleef men in grote lijnen trouw aan de bestaande academische principes en, vooral, aan de voorbeelden van de meesters uit de Gouden Eeuw. Alleen de jong gestorven Wijnand Nuyen heeft zich enigszins door de vrije en koloristische toets van zijn Franse tijdgenoten laten beïnvloeden. Zijn dramatische *Schipbreuk,* kort voor zijn overlijden in 1839 geschilderd (blz. 77), geldt qua onderwerp en uitvoering dan ook als een van de zeldzame uitingen van de internationale romantiek. En welhaast legendarisch in dit verband zijn de in 1881 opgetekende woorden van Nuyens generatiegenoot, de beroemde schilder van kerkinterieurs Johannes Bosboom: *De Romantische beweging onder aanvoering van den genialen Nuyen trok ook mij aan tot volgen.* Echte navolgers heeft Nuyen echter niet gehad – in ieder geval geen romantici *pur sang.* Tekenend is wat Jan Knoef, een autoriteit op het gebied van de 19de-eeuwse schilderkunst, in 1947 over de gematigde Hollandse romantiek opmerkte. *Zeker in de 19de eeuw,* schreef hij, *toen een welbewust appèl de kunstenaars ten strijde riep om tegenover het onpersoonlijk schoon van het classicisme te stellen het gevoel, de emotie, het individuele, had men mogen verwachten, dat zij zouden blijk geven meegesleept te zijn door zoo pakkende idealen. En nochthans geeft ook het beeld van de kunst van dien tijd slechts een volgen in uiterlijkheden van wat elders machtig van overtuiging of diep gevoeld werd uitgesproken.*
Men mag evenwel niet concluderen, dat Nuyen de enige was die zich bezig heeft gehouden met schipbreuken en woelende waters. Een van de bekendste schilders van dergelijke zeestuk-

ken was de uit Amsterdam afkomstige Louis Meijer. Behalve een aantal groot opgezette marines van zijn hand bezit het Rijksmuseum zijn geestige *Zelfportret* uit 1838, met op de schildersezel een wilde zee (afb. 35). Ook J. C. Schotel en zijn zoon Petrus Johannes waren in dit genre gespecialiseerd, zoals uit verschillende voorbeelden in het museum moge blijken (afb. 36). Maar hoewel Meijer en vader Schotel evenals Nuyen ondermeer Frankrijk hebben bezocht, lijkt in hun werk de buitenlandse invloed van minder belang te zijn geweest. Voor hen vormden de zeegezichten van grote 17de-eeuwse marineschilders als Ludolf Backhuysen en Willem van de Velde de voornaamste inspiratiebron.

Genres en specialismen

Met het noemen van de Gouden Eeuw als dé inspiratiebron voor de schilders van de Nederlandse romantiek en hun voorlopers uit de vroege 19de eeuw, zijn we aangeland bij een van de meest uitgesproken kenmerken van de schilderkunst in die tijd. Zoals in 1986 door de tentoonstelling en de bijbehorende catalogus *Op zoek naar de Gouden Eeuw. Nederlandse schilderkunst 1800-1850* op magnifieke wijze is aangetoond, oriënteerden de 19de-eeuwse schilders zich toentertijd namelijk in sterke mate op de kunst van hun roemrijke 17de-eeuwse voorgangers. Deze bewondering uitte zich niet alleen in het navolgen van de schildertrant van de oude meesters, maar ook in het opnieuw opvatten van de voor de Hollandse 17de-eeuwse schilderkunst zo typerende onderwerpen en genres.
Vrijwel alle vertegenwoordigers van de Nederlandse romantiek waren dan

36 ook specialist in een bepaald genre, zich daarbij spiegelend aan één of meer 17de-eeuwse beoefenaars daarvan. De coryfeeën van het landschap, B. C. Koekkoek en Andreas Schelfhout, keken naar Hobbema en Jacob van Ruisdael (afb. 37), de marineschilders, zoals we zagen, naar Backhuysen en Van de Velde. Dierschilders als P. G. van Os en Jacob van Strij lieten zich uiteraard inspireren door Paulus Potter, maar ook door Cuyp en Dujardin (afb. 38). En wanneer een kunstenaar als Jacob Abels een landschap bij maanlicht schilderde, riep hij de herinnering op aan Aert van der Neer. De kerkinterieurs van Johannes Bosboom ademen de sfeer van Emanuel de Witte, waarbij Bosboom bovendien zijn taferelen met 17de-eeuwse figuurtjes stoffeerde (afb. 39). Cornelis Springer, de beroemdste schilder van stadsgezich-

afb. 39.

afb. 38.   *afb. 37.*

ten uit de vorige eeuw, is op zijn beurt te rade gegaan bij Berckheyde en Van der Heyden (blz. 99). De bestudering van de oude meesters leidde er ook toe dat men in de 19de eeuw, soms min of meer letterlijk, bepaalde motieven uit vroegere schilderijen overnam. Louis Moritz' *Muziekles* uit omstreeks 1810 lijkt door de enscenering en de empire-kostuums op het eerste gezicht voor-

afb. 37: Andreas Schelfhout (1787-1870), 'Boerenerf'.

afb. 38: Jacob van Strij (1756-1815), 'Landschap met veedrijver en hond'.

afb. 39: Johannes Bosboom (1817-1891), 'Kerkinterieur'. Dit schilderij was een van de kunstwerken die verloot werden op de avond van de onthulling van het Rembrandtbeeld.

afb. 40: Herman Frederik Carel ten Kate (1822-1891), 'Wachtkamer met soldaten', 1867.

namelijk te zijn geïnspireerd op de Franse schilderkunst van zijn tijd (blz. 55). Bij nadere beschouwing blijkt echter dat het binnenhuistafereeltje in de gedetailleerde schildertrant tevens een nabootsing is van het werk van Hollandse fijnschilders als Metsu en Gerard ter Borch, en dat de compositie zelfs een herhaling is van Ter Borchs *De vaderlijke vermaning* in het Rijksmuseum.

Tal van schilderijen hadden bovendien 17de-eeuwse gebeurtenissen of beroemdheden tot onderwerp. Voorts ziet men hoe laat-romantische genreschilders als David Bles, H. J. Scholten en H. F. C. ten Kate hun voorstellingen van het alledaagse leven situeerden tegen een historisch decor (blz. 105 en 115).

Van de laatsgenoemde bezit het Rijksmuseum een *Wachtkamer met soldaten* uit 1867, een voor deze kunstenaar typerende schildering van een 17de-eeuws tafereel (afb. 40).

'Naar de studeerkamer: – naar de natuur!'
Mede als gevolg van de preoccupatie

met alle verschillende genres uit de Gouden Eeuw bood ook de schilderkunstige produktie uit de tijd van de romantiek een enorme variatie aan onderwerpen en opvattingen. Wellicht stond temidden van deze rijkdom aan verbeeldingen het landschap, een vanouds populair Hollands genre, nog wel het hoogst genoteerd. Vanzelfsprekend denkt men hierbij allereerst aan de zorgvuldig gecomponeerde, minutieus geschilderde bosgezichten van B. C. Koekkoek, en aan de geacheveerde winters van Andreas Schelfhout en Charles Leickert (blz. 73).

Barend Cornelis Koekkoek werd opgeleid door zijn vader, de marineschilder J. H. Koekkoek, en bezocht achtereenvolgens de tekenacademie in Middelburg en de Koninklijke Akademie te Amsterdam. Voorts reisde hij veel door België en Duitsland, op zoek naar motieven voor zijn gefantaseerde, romantische berg- en boslandschappen. In 1836 vestigde hij zich in het Duitse Kleef, vlak over de Nederlandse grens, waar hij in 1841 een tekenacademie stichtte. In hetzelfde jaar verscheen zijn boekje *Herinneringen en mededeelingen van een landschapschilder.* Het is het verslag van een tocht door Duitsland, met een drietal leerlingen ondernomen, dat opmerkelijk veel aanwijzingen over de kunst van zijn tijd bevat. Tevens lijken de *Herinneringen,* door de talrijke leerzame bespiegelingen die er in zijn opgenomen, bedoeld te zijn geweest als een handleiding voor zijn jongere collega's.

De raadgevingen van Koekkoek betroffen bovenal de bestudering van de natuur: *De natuur is de volmaakte schilderij, daarom moeten wij zooveel studiën naar haar maken als mogelijk is*, was

zijn advies. En elders schreef hij: *De natuur is louter waarheid en poëzij, de kunstenaar moet dus de natuur navolgen, haar 'copiëren' en zijnen wil aan haren magt, op waarheid en poëzij gevestigd, onderwerpen.* De vakkundig geschilderde composities van Koekkoek waren echter geenszins getrouwe afbeeldingen van de natuur. Want veel duidelijker dan zijn voorgangers Meindert Hobbema en Jacob van Ruisdael dat deden, 'verfraaide' hij de door hem waargenomen en getekende natuurverschijnselen in zijn atelier tot een weloverwogen en planmatig opgebouwd ideaalbeeld. Partijen van gave, volwassen eikebomen, bijna mooier dan men ze in het echt kan zien, domineren dan ook menig bosgezicht. Voor onvolkomenheden als kale kruinen of afgebroken boomstammen, *ontluisteringen der natuur*, was dan ook geen plaats – tenzij bewust door de kunstenaar gepland. Zelfs stemmingen en weersgesteldheden zette Koekkoek in zijn atelier naar zijn hand, door zijn voorstellingen achteraf te betitelen als 'vóór' of 'na het onweer'. Zo heet een vroeg schilderij van hem (uit 1829) in het

afb. 41: Barend Cornelis Koekkoek (1803-1862), 'Landschap bij opkomende regenbui', 1829.

afb. 42: Jacob Cremer (1828-1880), 'Boomrijk zomerland-schap', 1849.

Rijksmuseum, een op het eerste gezicht vredig plaatje, *Landschap bij opkomende regenbui* (afb. 41).

Door het eclatante succes en door de hoge prijzen die voor Koekkoeks kunstmatig gearrangeerde landschappen werden betaald, had de meester, vooral in de jaren '40, vele navolgers. Een van hen was de uit Arnhem afkomstige schilder-schrijver Jacob Cremer. Thans is deze kunstenaar vooral bekend als de auteur van de *Betuwsche novellen* en *Overbetuwsche novellen* en streekromans, zoals de *Fabrieksinderen*, waarin hij de bestaan-

de sociale misstanden van zijn tijd aan de kaak stelde. Omdat Cremer na 1850 een carrière als schrijver en voordrachtskunstenaar koos, zijn er maar weinig schilderijen van zijn hand bekend. Een daarvan, een *Boomrijk zomerlandschap* uit 1849, werd in 1992 door het Rijksmuseum verworven (afb. 42). In alles ziet men hier een boslandschap zoals Koekkoek zich dat wenste: een zorgvuldig uitgewogen compositie van paarsgewijs opgestelde reusachtige eiken, een gelige Gelderse zandgrond en vreedzame reizigers, opgaand

in de grootsheid van de natuur. Desalniettemin schreef een criticus in de *Kunstkronijk*, na het zien van een van Cremers creaties op een Tentoonstelling van Levende Meesters in 1850: *Naar de studeerkamer: – naar de natuur!*. Wat Cremer zou moeten doen voor een nog beter resultaat, meende men, was *de natuur te bespieden, haar in alle deelen na te gaan, haar te betrappen op al hare uitingen in blad en lucht, in zandkorl en geboomte, in bloem en insekt...*

Twee andere, thans niet meer zo bekende landschapschilders uit de school van Koekkoek en Schelfhout die met werk in het Rijksmuseum vertegenwoordigd zijn, zijn Louwrens Hanedoes en Pierre Louis Dubourcq. Van Hanedoes bezit het museum onder meer een *Berglandschap met ruïne, bij stormachtig weer*, dat evenals Cremers *Zomerlandschap* dateert uit 1849 (afb. 43). Stonden bij Cremer de Wodanseiken centraal, bij Hanedoes gaat het hier om het romantische ideaal van de verbeelding van *de geduchte werkingen der natuur, een storm, een opkomend of afdrijvend onweer*, zoals Koekkoek het formuleerde. Dubourcq, een leerling van Schelfhout, schijnt in mindere mate uit te zijn geweest op de 'overdreven effecten' van de natuur. Het meest 'romantische' landschap dat we van hem kennen, is de *Begraafplaats bij Baden-Baden* uit 1856 (blz. 93). Met zijn vriend, de landschapschilder Willem Bodeman, had Dubourcq in de jaren 1843-44 een reis naar Italië

gemaakt. In Rome ontmoette hij Cornelis Kruseman. Die liet zich daar inspireren door de Italiaanse folklore en, vooral, door de kunst van Rafaël. Als landschapschilder in hart en nieren bestudeerde Dubourcq in Italië echter voornamelijk het natuurlijk schoon. Naderhand schreef hij in de *Kunstkronijk* over zijn reis: *Ik heb die twee jaren gelukkig en vrolijk geleefd, verkwikt door de rijkste bron voor een landschapschilder, de bron, waaruit onze oude landschapschool uit de zeventiende eeuw haar schoon koloriet, fijnen toon, treffende en grootsche compositie geput heeft.*

Barbizon en Oosterbeek

Na de korte periode van hoogtij die de romantiek hier tussen 1830 en 1850 beleefde, was de tijd rijp voor vernieuwingen binnen het artistiek idioom. Om tegemoet te komen aan de enorme vraag naar charmante, schijnbaar realistische en gladgeschilderde tafereeltjes vervielen de

meeste gevestigde schilders in clichés. Sentimentele genre-stukjes, geïdealiseerde stadsgezichten en 'zomers' en 'winters' werden eindeloos in de ateliers herhaald. Op bestelling zelfs werd menig landschapje vermenigvuldigd, hetgeen betekende dat oorspronkelijkheid het moest afleggen tegen bedrevenheid. Bovendien was het soort van fabrieksmatig geproduceerde voorstellingen dermate populair geworden, dat ook kleinere meesters en een tweede generatie van schilders zich in een specifiek romantisch genre specialiseerden. Zo had de romantische schilderkunst nog tot ver in de 19de eeuw haar uitstraling, ook toen de kunstenaars van het moderne landschap, de meesters van de Haagse School, de markt al lang veroverd hadden.

Intussen was er omstreeks 1850, vooral in de landschapschilderkunst, een verschijnsel waarneembaar dat door Jan Knoef op treffende wijze is samengevat als *een zegevieren van de natuur over de leer*. Via internationale tentoonstellingen in Brussel maakte men kennis met de schilders van de School van Barbizon. Deze Franse kunstenaars, die beschouwd kunnen worden als de voorlopers van het impressionisme, schilderden in de bossen van Fontainebleau bij het plaatsje Barbizon rechtstreeks naar de natuur: *en plein air*. Dupré, Troyon en Rousseau maakten niet alleen schetsen in de vrije natuur, om die later in hun atelier uit te werken tot een definitief schilderij, maar legden ook direct in de buitenlucht hun impressies vast op het doek.

Geïnspireerd door de Barbizon-schilders werkte sinds de jaren '40 een aantal jonge Nederlandse kunstenaars, al of niet tijdelijk, in het

afb. 43: Louwrens Hanedoes (1822-1905), 'Berglandschap met ruïne, bij stormachtig weer', 1849.

39

afb. 45: Willem Roelofs (1822-1897), 'Panoramisch land- schap', 1847.

afb. 44: Johannes Warnardus Bilders (1811-1890), 'Heide bij Wolfheze', 1866.

schilderachtige Oosterbeek aan de Gelderse Veluwezoom. De mentor van deze kunstenaarskolonie was Johannes Warnardus Bilders, die zich in 1842 in het dorp gevestigd had. Al spoedig verzamelde Bilders een groep leerlingen om zich heen, onder wie zijn zoon Gerard, de gebroeders Maris, Gabriël en Mauve. Net als in Barbizon experimenteerde men in Oosterbeek met het schilde- ren in de vrije natuur. Het bos-achti- ge heidelandschap en de oeroude Wodanseiken bij Wolfheze vormden voor de leden van de Oosterbeekse School daarbij de geliefde thema's. In dit opzicht kan ook het hiervoor ver- melde 'bomenportret' uit 1849 van de Gelderse kunstenaar Jacob Cremer als een Oosterbeeks schilderij worden gezien. Het nieuwe van de schilders

van 'het Hollandse Barbizon' was echter dat zij zich minder dan de romantische landschapschilders bekommerden om de gedetailleerde, gekunstelde weergave van de boom- partijen en het loof. Bij de nieuwe generatie van kunstenaars ging het om het vastleggen van een indruk, om de stemming en de atmosfeer in de natuur.

De 'oude' Bilders is in zijn overgang van de romantische naar de meer impressionistische schilderwijze het meest 'Oosterbeeks' van allen geweest, zoals we in zijn grote *Heide bij Wolfheze* uit 1866 in het Rijks- museum kunnen zien (afb. 44). Van Bilders' generatiegenoot Hendrik van de Sande Bakhuyzen bezit het Rijks- museum een werk uit 1850, waarin het ideaal van het buiten schilderen

letterlijk is verwerkt: we zien de kun- stenaar zelf, schilderend in een wei- delandschap met vee (blz. 89). Stilistisch gezien behoort dit schilde- rij echter nog tot de traditionele romantische schilderschool. Maar na 1860, mede onder invloed van Oosterbeek en Barbizon, brak met de opkomst van de Haagse School het tijdperk van de moderne Nederland- se landschapschilderkunst aan.

Willem Roelofs en Gerard Bilders

Twee regelmatige bezoekers van Oosterbeek, die in de jaren '50 naar vernieuwingen binnen de landschaps- kunst hebben gezocht, waren Willem Roelofs en Gerard Bilders. Daarbij geldt de eerstgenoemde zelfs als de belangrijkste wegbereider van de Haagse School. Vanuit Brussel, van

1847 tot 1887 zijn vaste woonplaats, vormde hij een *trait-d'union* tussen de Franse School van Barbizon en de Nederlandse landschapskunst van na 1860. Dit terwijl zijn vroege, zorgvuldig gecomponeerde en geacheveerde landschapsverbeeldingen uit de jaren '40 nog nauw aansloten bij de door zijn oudere vakgenoten Koekkoek en Schelfhout gevestigde romantische traditie (afb. 45). Maar in het decennium erna liet hij zich inspireren door de *en plein air* werkende Franse meesters; te meer nadat hij in 1851 vanuit Brussel zelf Barbizon had bezocht. Dat Roelofs ernaar verlangd had daar te werken, blijkt uit een brief die hij twee jaar eerder aan zijn vriend Jan Weissenbruch schreef, waarin hij zei: *Zeer nieuwsgierig ben ik altijd geweest naar die nieuwe Fransche landschapschilders. Sommige van mijn kennissen die te Parijs veel gezien hebben, hebben er geweldig veel mee op. Het nieuwe heeft veel aantrekkelijks voor mij.*

Gedurende de jaren dat Roelofs in Barbizon rechtstreeks contact had met zijn Franse vakgenoten, was hun invloed duidelijk zichtbaar in zijn werk. Toch bleef Roelofs altijd een typisch Hollandse schilder, en het meest bekend werd hij dan ook om zijn sfeervolle polderlandschappen onder Hollandse wolkenluchten, gestoffeerd met koeien, boerderijen en molens. Hoe zijn stijl zich in de loop der jaren steeds bleef onwikkelen, is goed te volgen aan de hand van de collectie in het Rijksmuseum, waar zowel vroege als late werken van zijn hand worden bewaard. Een van de mooiste landschappen waarmee hij zich als Haagse School-kunstenaar manifesteerde, is het *Landschap buiten Den Haag* uit de jaren '60 – in sfeer en techniek een klassiek voorbeeld van het Haagse impressionisme uit de tweede helft van de vorige eeuw (afb. 46).

Thans als 'Oosterbeker' waarschijn-

lijk bekender dan zijn vader, is de jong gestorven landschapschilder Gerard Bilders, een protégé van de welgestelde literator Johannes Kneppelhout. In 1860 bezocht Gerard een tentoonstelling van moderne kunst in Brussel, waar hij, net als Roelofs eerder, kennis maakte met de meesters van de School van Barbizon. In het werk van deze Franse schilders vond hij waar hij al langer naar op zoek was: *Ik zoek naar een toon, dien wij gekleurd-grijs noemen; dat is alle kleuren, hoe sterk ook, zoodanig tot één geheel gebragt, dat ze den indruk geven van een geurig, warm grijs.* Na zijn confrontatie met de Barbizonners in Brussel schreef hij opgetogen aan Kneppelhout: *Ik heb er schilderijen gezien, waar ik niet van droomde en al datgene in vond wat mijn hart begeert. Eenheid, rust, ernst en vooral eene onverklaarbare intimiteit met de natuur troffen mij in die schilderijen.*

De landschappen die Gerard Bilders

afb. 46: Willem Roelofs (1822-1897), 'Landschap buiten Den Haag', ca. 1860.

42

afb. 47.

schilderde in de vijf jaar die hij na zijn bezoek aan Brussel nog te leven had, kenmerken zich evenals het werk van de door hem bewonderde Fransen door een rustige, intieme sfeer. Hierbij vormde het 17de-eeuwse Hollandse landschap de gemeenschappelijke inspiratiebron, met Jacob van Ruisdael als favoriet. Het is dan ook niet verwonderlijk dat men juist Gerard vroeg Ruisdael te portretteren voor Arti's Historische Galerij, hetgeen resulteerde in het eerder genoemde schilderij *Jacob van Ruisdael een watermolen schetsend* uit 1864 (afb. 47). Gerard zelf beschouwde het door hem te vervaardigen historiestuk in de eerste plaats als een landschapschilderij, waarin hij op het laatste moment nog een figuurtje heeft geplaatst. In 1862 schreef hij aan Kneppelhout over zijn opdracht voor Arti: *Historisch gevoel heb ik volstrekt niet, en ik zou mij niet kunnen voorstellen van mijne decoratie iets anders te kunnen maken dan een landschap met koeijen, zoo als men het iederen dag te Oosterbeek kan zien.*

Wat Bilders er twee jaar later uiteindelijk van gemaakt heeft, is een vlot

geschilderde voorstelling van een watermolen in een bosrijke omgeving, met links op de voorgrond, vrij onopvallend, Jacob van Ruisdael de watermolen schetsend. Hierbij was het Gerard duidelijk te doen geweest om het effect van het landschap, meer dan om het portret van de meester zelf. In oktober 1864 schreef hij dan ook: *Ik ben klaar met mijne decoratie voor Arti, op de kleinigheid na, dat van Ruysdael nog geen schijntje op het gansche doek te vinden is; toch geloof ik wel, dat de compositie zelve en de daarin heerschende toon iets Ruysdaelesques hebben.* Eerder al, in 1859, had Bilders zich in een brief uitgesproken over zijn liefde voor Ruisdael. In het Trippenhuis, de vroegere behuizing van het Rijksmuseum, was een landschap van deze 17de-eeuwse meester zijn derde 'lievelingsschilderij': *Hij is toch de ware dichter. (...) Indien poëzy ernstig en grootsch is uit te drukken, dan heeft Ruysdael het gedaan.*

Na 1870

Na de periode 1850-1870, die wel de incubatietijd van de moderne landschapschool is genoemd, vormden de jaren '70 de bloeiperiode van de Haagse School. De samenhang van de kunstenaarsgroep was toen zeer hecht, met als centrum Den Haag en als bindend element de gezamenlijke liefde voor het vlakke Hollandse landschap. De uit Groningen afkomstige zeeschilder Mesdag, tegenwoordig vooral bekend om zijn Panorama in Scheveningen, was in 1869 een van de eersten die zich in Den Haag vestigden. Dit na eerst in Oosterbeek met J. W. Bilders te hebben gewerkt, en in Brussel in de leer te zijn geweest bij Roelofs. Voorts keerde Jacob Maris naar Den Haag terug, die met zijn

broer Matthijs onder meer in Antwerpen en Parijs had gewoond. In dezelfde tijd kwamen Jozef Israëls en Anton Mauve naar Den Haag. Willem Maris, Bosboom en J. H. Weissenbruch hebben er altijd gewoond. Paul Gabriël was een Amsterdammer, die in 1844 bij B. C. Koekkoek in Kleef had gestudeerd en daarna via Oosterbeek lang in Brussel heeft gewoond. Hoewel hij een van de belangrijkste vertegenwoordigers is van de Haagse School, woonde hij pas sinds 1884 in Scheveningen. Al met al woonden er op den duur genoeg gelijkgestemde kunstenaars in Den Haag om te kunnen spreken van een 'school'. Dat gebeurde in 1875 dan ook officieel, toen de criticus Van Santen Kolff het werk van de moderne landschapschilders in een artikel besprak. De door hem bedoelde groep schilders noemde hij de Haagse School; hun nieuwe manier van zien vond hij een ware *beeldenstorm op het gebied der kunst*. Een eigenaardige karaktertrek van de schilderschool viel hem op: *Bij voorkeur zoekt zij 'stemming' weer te geven; aan 'toon' geeft zij den voorrang boven 'kleur'. De poëzie van het 'grijs' heeft zij daarentegen op een tot dusverre ongekende wijze ontsluierd. In die grauwe stemming vindt zij het ideaal harer gezochte toonschakeringen, en bewonderend moeten wij erkennen, dat zij die met een fijn gevoel weet weer te geven waarvan men vroeger geen denkbeeld had.*
Te zamen met de verbeelding van de realiteit van het alledaagse leven, zou de grijze toon het belangrijkste kenmerk van de Haagse School worden. Een van Gerard Bilders idealen was dus vervuld: het 'sentiment van het grijze', waarnaar hij had gezocht, werd – meer dan wat dan ook – ge-

voeld en verbeeld door de meesters van de Haagse School. En net als de schilders van Barbizon en de Oosterbekers, werkten de Hagenaars in de vrije natuur: aan zee, in de polders, op het platte land. Veel van de buiten gemaakte olieverfschetsen werden benut in het atelier, waar soms razendsnel, soms heel zorgvuldig, de grote grijze landschappen werden opgezet (afb. 48).
Dankzij de legaten en schenkingen, waarover aan het begin van deze inleiding is uitgewijd, bezit het Rijksmuseum van alle grote namen van de Haagse School uitgelezen voorbeelden, te veel om hier met naam te noemen. Gelukkig zal men verderop in dit boek een selectie kunnen zien van de Marissen, Jozef Israëls, Mauve, de beide Weissenbruchs en Gabriël. Daarnaast wordt aandacht besteed aan verschillende laat 19de-eeuwse kunstenaars, die niet direct tot de Haagse School behoorden: Alma Tadema, de Amsterdamse impressionisten en Vincent van Gogh. Wellicht kunnen we het zelfportret van de laatstgenoemde kunstenaar, in zijn bijna 20ste-eeuwse moderniteit, beschouwen als het sluitstuk van deze bloemlezing uit een eeuw Nederlandse schilderkunst. Moge de reprodukties en de tekst, in afwachting van de hernieuwde zalen in de Druckeruitbouw, enige troost bieden wanneer de echte schilderijen soms al te zeer zullen worden gemist.

afb. 47: Albert Gerard Bilders (1838-1865), 'Jacob van Ruisdael een watermolen schetsend', 1864.

afb. 48: De schilder Paul Gabriël in zijn atelier aan de Kanaalweg te Den Haag.

Schilderijen en hun verhaal

Adriaan de Lelie • Pieter Christoffel Wonder • Jan Ekels

Johannes Jelgerhuis • Louis Moritz

Jan Willem Pieneman • Pieter Rudolph Kleyn

Pieter Gerardus van Os • Wouter Johannes van Troostwijk

Jean Eugène Charles Alberti • Cornelis Kruseman

Barend Cornelis Koekkoek • Andreas Schelfhout • Charles Leickert

Wijnandus Johannes Josephus Nuyen • Anthony Oberman

Jacobus Schoemaker Doyer • Josephus Augustus Knip

Abraham Teerlink • Charles Rochussen

Hendrik van de Sande Bakhuyzen • Simon Opzoomer

Pierre Louis Dubourcq • Albert Gerard Bilders

Willem Roelofs • Cornelis Springer • Kaspar Karsen

Johannes Bosboom • Hendrik Jacobus Scholten

Jacobus Hendricus Maris • Hendrik Johannes Weissenbruch

Johannes Weissenbruch • David Joseph Bles

Alexander Hugo Bakker Korff • Matthijs Maris

Augustus Allebé • Henriëtte Ronner-Knip • Willem Maris

Jozef Israëls • Hendrik Willem Mesdag • Geo Poggenbeek

Anton Mauve • Jan Toorop • Paul Gabriël

George Hendrik Breitner • Marius Bauer

Laurens Alma Tadema • Isaac Lazerus Israëls

Jacobus van Looy • Willem Arnold Witsen

Willem de Zwart • Vincent van Gogh

Adriaan de Lelie (1755-1820), De Tekenzaal van Felix Meritis te Amsterdam, 1801, 100 x 131 cm.

46

Op deze prent van Caspari uit 1822 zijn alle leden van het genootschap Felix Meritis genummerd en zo is bekend wie wie is.

Twee klassieke beelden, de Apollo Belvedere (rechts) en de Laokoöngroep, hebben een enorme invloed gehad op beeldend kunstenaars. Zij die zelf naar Italië of Griekenland waren geweest en daar de beelden gezien hadden, raakten erdoor gefascineerd. Anderen kenden gipsafgietsels van klassieke beelden, die zij zagen in de beeldenzaal van Felix Meritis. Daar stonden topstukken uit de klassieke oudheid om door de leden te kunnen worden bediscussieerd en nagetekend.

Gelukkig door verdiensten

In de tekenzaal van Felix Meritis klinkt geroezemoes. Keurige heren buigen zich over tekeningen, prenten, schilderijen. Ze doen aan kunstbeschouwing, ze bespreken en bekijken samen kunstwerken. Tussen die nette heren, allen keurig in het pak gestoken, valt de bijna naakte man nogal op. Hij is het model dat de heren kunnen bestuderen en natekenen, maar slechts een enkeling schijnt zich om hem te bekommeren.

Felix Meritis – Gelukkig door verdiensten – was een Amsterdams genootschap, opgericht in 1777. Het doel was de kunsten en wetenschappen te bevorderen. Er waren verschillende afdelingen, zoals Natuurkunde, Koophandel, Muziek, Letterkunde en Tekenkunde. De afdeling Tekenkunde omvatte de beeldende kunsten én de bouwkunst.

De portretschilder Adriaan de Lelie bracht in 1801 de tekenzaal in beeld. Hij kreeg de opdracht om de actieve leden van het genootschap te portretteren tijdens hun bezigheden. De schilder staat er zelf ook op: de zittende man links, met de hoed, die ons aankijkt en een blad in zijn hand heeft. Hij zit daar temidden van andere kunstenaars, kunsthandelaren en kunstverzamelaars. Een van de afgebeelde verzamelaars is Jan Gildemeester, de tweede staande figuur van rechts. Hij liet zich een paar jaar eerder ook door De Lelie portretteren, maar dan in zijn eigen kunstgalerij.

Zo'n genootschap als Felix Meritis was een typisch produkt van de 18de eeuw: de eeuw van de Verlichting.

Dergelijke verenigingen, waarbij de geestelijke ontwikkeling van de leden een grote rol speelde, bloeiden in heel Europa. Ook met Felix Meritis ging het goed en na tien jaar was de club toe aan een nieuw gebouw. In dit nieuwe verenigingsgebouw aan de Keizersgracht kreeg de afdeling Tekenkunde twee zalen, de tekenzaal en een beeldenzaal, waar gipsafgietsels van beroemde klassieke beelden waren opgesteld.

Het bestuderen van grote voorbeelden uit het verleden speelde een belangrijke rol in de kunst rondom 1800, de tijd van het neo-classicisme. Klassieke kunst werd bestudeerd en nagevolgd. In de beeldenzaal van Felix Meritis stonden alle belangrijke beelden uit de klassieke oudheid als gipsafgietsel, van de Laokoöngroep tot de Apollo Belvedere.

De jonge man op het schilderij van de tekenzaal doet denken aan een klassieke god. Zoals hij daar zit, bijna naakt, en profil afgebeeld, ziet hij er uit als een tronende god. Alles in dit schilderij verwijst zo naar de klassieke oudheid.

Adriaan de Lelie schilderde bezoekers in de internationaal vermaarde kunstgalerij van Jan Gildemeester. De schilderijen worden uitvoerig bekeken terwijl de trotse verzamelaar zelf centraal in beeld uitleg geeft. De wanden zijn van onder tot boven behangen met schilderijen.

Gipsafgietsels van klassieke beelden staan ter bestudering opgesteld in de beeldenzaal van het nieuwe verenigingsgebouw. De Lelie maakte dit schilderij omstreeks 1806.

Pieter Christoffel Wonder (1780-1852), De Tijd, 1810, 124 x 107 cm.

De gevleugelde Tijd

Een gevleugelde, naakte grijsaard, zit met één knie rustend op de grond voor een merkwaardig hoopje artikelen: een weegschaal, wat verwelkte koolbladeren en een spiegeltje met een slang als omlijsting. Het is Vader Tijd, de personificatie van de tijd. De slang is een van de attributen van de Tijd. Met zijn staart in de bek, is de slang een dier zonder begin en einde; hij vormt zo het symbool voor de eeuwigheid. De balans die Vader Tijd voor zich heeft liggen verwijst naar de gerechtigheid. Het spiegeltje is een zinnebeeld van de ijdelheid en de koolbladeren wijzen op vergankelijkheid. Het is een nogal uitzonderlijke combinatie.

Vader Tijd wordt wel vaker afgebeeld, maar heeft dan meestal een zeis of een zandloper bij zich. Die zeis nam de Tijd over van Saturnus, de Romeinse god van de landbouw, die in het Grieks Kronos heet. Kronos lijkt op chronos, het Griekse woord voor tijd. Zo ontstond de verwarring waardoor Vader Tijd de zeis van landbouwgod Saturnus kreeg. Hij kreeg ook de leeftijd van de oude Saturnus, die de aartsvader was van de goden en dus altijd voorgesteld werd als een oude man.

Dit is een vroeg werk van Pieter Christoffel Wonder. Later zou de kunstenaar zich toeleggen op het schilderen van genre-stukken in de stijl van 17de-eeuwse meesters als Metsu en Ter Borch. Hij blonk uit in het zorgvuldig weergeven van kleding, in de stofuitdrukking, en werkte zo in de traditie van de Hollandse fijnschilders.

Bij het schilderij van Vader Tijd is het niet duidelijk in wat voor ruimte de grijsaard zich bevindt; hij vult het hele beeldvlak en van enige diepte-werking is geen sprake. Veel aandacht besteedde Wonder aan het lichaam van de man. Hij zal naar een naakt model gewerkt hebben. Door de vleugels toe te voegen en de attributen in de hoek te plaatsen, creëerde Wonder vervolgens een allegorische voorstelling waarin de Tijd de hoofdrol speelt.

Deze kop, getekend in rood en zwart krijt door Wonder doet sterk denken aan het hoofd van Vader Tijd; was dit misschien een voorstudie?

Gerard Lairesse schilderde omstreeks 1680 een man die erg lijkt op Vader Tijd. Toch is dit Saturnus, de Romeinse god van de landbouw.

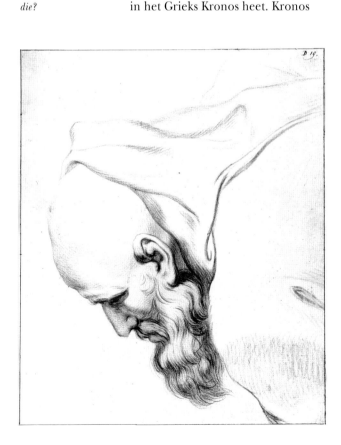

Jan Ekels II (1759-1793), Een schrijver die zijn pen versnijdt, 1784, 27,5 x 23,5 cm.

De sfeer van Vermeer

Een jonge man, op de rug gezien, zit aan een schrijftafeltje en snijdt zijn pen bij. De spiegel aan de wand laat zijn gezicht en handen zien. Naast de spiegel hangt het bord van een gezelschapsspel aan een spijker, met een zakje stukken. Over een stoel heeft hij zijn jas neergegooid. Het schrijftafeltje staat op een houten vlondertje bij het raam. Het raam is afgedekt met een gordijn, maar door een spleet valt wat licht. Fraai speelt dat licht over de jongeman, schampt langs zijn benen, belicht zijn gezicht en het papier op tafel. Juist die spelingen van het binnenvallende daglicht maken dit schilderijtje tot iets bijzonders.

Het binnenhuistafereel ademt de sfeer van ruim een eeuw eerder, de sfeer van Vermeer. Net als de 17de-eeuwer Johannes Vermeer schilderde Jan Ekels een ingetogen interieurstukje. Net als Vermeer plaatste hij zijn hoofdpersoon vlak bij een raam, opgaand in z'n werk. Ekels toont maar een klein stukje van de kamer; de muur sluit de voorstelling af, waardoor er maar weinig dieptewerking in het schilderij zit. Ook dat aspect gaat terug op het werk van Vermeer. Maar naast de invloeden van deze oude meester ondergaat Ekels invloeden van het Franse neo-classicisme. Kenmerken van dit classicisme in het schilderij van de schrijver zijn bijvoorbeeld de uitgewogen compositie en de helderheid.

Ekels heeft het classicisme in Parijs leren kennen, toen hij daar woonde, een aantal jaren voordat dit schilderij ontstond. Van 1776 tot 1778 heeft hij in Parijs gewoond. Amsterdam was echter de stad waar hij het grootste deel van zijn leven doorbracht. Hier werd hij geboren in 1759, als zoon van de schilder van stadsgezichten Jan Ekels. In Amsterdam kreeg hij zijn opleiding aan de Akademie en was hij lid van Felix Meritis, het genootschap dat zich de bevordering van kunsten en wetenschappen ten doel stelde. Op 4 juni 1793 overleed Ekels in Amsterdam.

Het hier besproken werk vormt het hoogtepunt binnen het oeuvre van Jan Ekels de Jonge.

Een ander werk van hem, ook in de collectie van het Rijksmuseum, laat eveneens een jongeman aan een schrijftafel zien, maar dit schilderij mist de verrassende kijk op de rug.

Een rustige, verstilde voorstelling van een brief-lezende vrouw van Johannes Vermeer. Zowel de schrijver van Jan Ekels als de lezende vrouw van Johannes Vermeer gaan helemaal op in datgene waarmee zij bezig zijn. Bij beide schilderijen wordt op dezelfde manier met het licht omgegaan: het schampt en omhult de personen.

Een schrijver aan zijn lessenaar, geschilderd door Jan Ekels. De schrijver is aan het werk. Het licht beschijnt zijn gezicht en handen.

Johannes Jelgerhuis Rzn. (1770-1836), De winkel van boekhandelaar Pieter Meijer Warnars op de Vijgendam te Amsterdam, 1820, 48 x 58 cm.

'Witjes' zijn genoemd
naar de 18de-eeuwse
schilder Jacob de Wit,
die een meester was in
het schilderen van
deze namaak-reliëfs.

Op dit kaartje van
het huidige centrum
van Amsterdam is
met een cirkeltje de
plek aangegeven
waar Warnars' boek
winkel stond; tusse
de Nes en de Dam,
met uitzicht op de
Warmoesstraat.

Een Amsterdamse boekwinkel

Keurig geordend is de winkel van Pieter Meijer Warnars in het centrum van Amsterdam. Op formaat gerangschikte boeken vullen de wanden tot aan het plafond. Boven de hoge boekenkasten is – als overgang naar het balkenplafond – een versiering van 'witjes' aangebracht, schilderingen in wit en grijstinten die eruit zien als reliëfs. De witjes laten verschillende allegorische voorstellingen zien. Naar het lijkt is een reeks van triomfen afgebeeld: triomfwagens worden getrokken door exotische beesten. De winkelruimte is gelijkmatig verlicht. Het licht valt niet alleen door de gevelwand, die bijna geheel van glas is, ook vanaf de andere kant – de kant waar de toeschouwer staat – lijkt licht te komen. De vier mannen in de winkel zijn immers goed belicht. De man die gebarend achter de toonbank staat is waarschijnlijk de eigenaar van de zaak, Pieter Meijer Warnars. Jelgerhuis kende de boek-

handelaar goed, want Meijer Warnars was de uitgever van een boek dat Jelgerhuis geschreven had: *Theoretische lessen over de Gesticulatie en Mimiek.*
Jelgerhuis was schilder en ook een gevierd toneelspeler. Zijn grote toneelervaring gebruikte hij bij het schrijven van zijn boek, dat een praktische handleiding was voor toneelspelers, met veel illustraties van historische en exotische kostuums.
Eigenlijk lijkt de boekwinkel, zoals Jelgerhuis hem schilderde, enigszins op een toneel, waar op het achtergronddecor een doorkijkje geschilderd is. Wellicht beïnvloedde de acteur Jelgerhuis de schilder Jelgerhuis, en omgekeerd.
De geveltjes die door de openstaande

deur zichtbaar zijn, staan aan de Warmoesstraat, de winkel zelf lag aan de Vijgendam. De Vijgendam is de tegenwoordige Dam en de plaats waar de winkel stond is nog terug te vinden: aan de zuidoostzijde van de Dam, tussen het beurspoortje en de Nes.
Jelgerhuis schilderde het geheel zeer nauwkeurig, waarbij hij eerst voorstudies maakte in de winkel. Zo ging hij altijd te werk, ook als hij stadsgezichten, landschappen en kerkinterieurs schilderde.

53

De andere kant van Jelgerhuis wordt goed geïllustreerd door dit kleine zelfportretje in zijn rol van Rhamnos in het toneelstuk 'Zelmière' van Dormont de Belloy. Dergelijke illustraties kwamen ook voor in zijn toneelspelershandleiding 'Theoretische lessen over de Gesticulatie en Mimiek', uitgegeven door boekhandelaar Warnars.

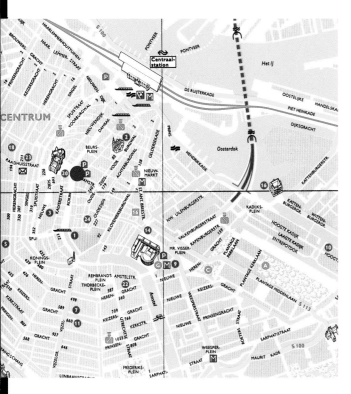

Dit zelfportret maakte Jelgerhuis bij zijn 25-jarig toneeljubileum. Zijn schoonzoon schreef er het volgende gedichtje bij:
'De hechtste steunpilaar van 't Hollandsch treurtoneel,
Sints 't vierde van eene eeuw de lust der Amstellaren,
Die, nu eens, door zich zelf, dan weer door 't kunstpenseel,
Zijn beelden 't aanzijn geeft, en lauw'ren wist te garen,
Is grijze Jelgerhuis, die in deez' beeld'nis leeft.
En zestig jaar oud, zich zelf hier 't aanzijn geeft.'

De muziekkamer

Levendige portretten, grote historie-stukken en schilderijen met paarden waren de specialiteiten van Louis Moritz. Af en toe, vooral in het begin van zijn carrière, schilderde hij ook binnenhuistafereeltjes. Zijn *Musicerend gezelschap* is daar een voor-beeld van. Het schilderij doet sterk denken aan de 17de-eeuwse interieur-stukken van schilders als Jan Steen, Gerard ter Borch en Gabriël Metsu. Net als zijn 17de-eeuwse voorgangers deed Moritz zijn uiterste best om alle voorwerpen en stoffen zo realistisch mogelijk weer te geven. Alle aandacht wordt getrokken door de fraai vallen-de plooien in de jurk van de vrouw die met de rug naar de toeschouwer staat.

De twee vrouwen krijgen muziekles. Ze zijn van goeden huize, modieus gekleed en gekapt. Het gezelschap bevindt zich in een spaarzaam gemeu-bileerd vertrek van een deftige patri-ciërswoning. Door de deuropening is de gang zichtbaar. De schildering boven de deur verraadt de functie van het vertrek. De jonge god Apollo is daar afgebeeld, spelend op zijn lier: het is de muziekkamer van het huis. De muziekleraar houdt een viool onder zijn arm. Hij is vrolijk in gesprek met de dames. Waarschijnlijk is dit een zelfportret van Moritz. Hij portretteerde zichzelf in eigentijdse kleding: de Franse empire-stijl. Ook de japonnen van de vrouwen en de aankleding van het vertrek zijn in deze stijl. De Franse empire-stijl gaat terug op klassieke voorbeelden; deze werden nagevolgd tot in ieder detail. De hoge taille hoorde bij klassieke gewaden, het opgestoken krulletjes-kapsel kopieerde men van klassieke beelden.

De Hagenaar Louis Moritz was opge-leid als decoratie-schilder. Daarna werd hij medewerker van de toneel-schilder Joannes Breckenheijmer. In 1810 verhuisde Moritz naar Amster-dam, waar hij enige tijd een baan bij de Schouwburg had: hij had er het beheer over de werktuigen en de decors. Intussen ontwikkelde hij zich tot een bekwaam kunstschilder, die verschillende prijzen won.

Bij dit interieurstuk van Gerard ter Borch (1617-1681) is het de staande vrouw met haar soepel in plooien vallende jurk, die in eerste instantie alle aandacht trekt. Van de zittende man werd aangenomen dat hij de vader was van het staande meisje en dat hij zijn dochter vermanend toesprak. Bij nader onderzoek is aan het licht gekomen dat de man oorspronkelijk een muntstuk in zijn hand had. Later is dit munt-stuk weggeschilderd. Dit muntstuk verandert de betekenis van de voorstelling nogal; het gaat dan om een bordeelscène. De vermanende vader is een betalende klant geworden.

Een detail van de schildering boven de deur. Apollo, één van de twaalf Olympische goden, was de god van de poëzie en de muziek. Zo is hij hier afgebeeld: spelend op zijn lier, gekroond met lauwerkrans en zittend bij een stromende beek, de bron Castalia waaruit inspiratie en kennis op-welt en waar een ieder met volle teugen uit zou moeten drinken.

56

*Detail van linker-
deel: De gewonde
prins Willem wordt
zittend op een bran-
card weggedragen.
De berichtgever
Freemantle komt te
paard aan, zijn
hand met muts
geheven.*

Helden poseren

Op de afbeelding van het schilderij staan enkele belangrijke geportretteerden aangegeven. Duidelijk is te zien dat het hier niet om de veldslag gaat, maar om portretten van mensen. Iedereen poseert, niemand lijkt moe, niemand heeft vuile kleren aan, terwijl er toch al een paar dagen in regen en modder gevochten is.

In een tijdperk van diep verval van de kunst, waarin ook niet één uitstekende naam was aan te wijzen, werd de Nestor der levende kunstenaars, werd Jan Willem Pieneman geboren. Grote waardering voor deze kunstenaar blijkt uit dit citaat van A. van Lee, uit het *Album der Schoone Kunsten* uit 1852. Jan Willem Pieneman, een van de hoogst geachte kunstenaars van zijn tijd, werd geroemd om zijn historiestukken en portretten. Ook bekleedde hij belangrijke functies; zo was hij directeur van het Koninklijk Kabinet van Schilderijen in Den Haag en vanaf 1820 directeur van de Koninklijke Akademie van Beeldende Kunsten in Amsterdam.

Pienemans beroemdste schilderij is de *Slag bij Waterloo*, een kolossaal doek van bijna zes meter hoog en ruim acht meter breed. Om het te kunnen schilderen liet Pieneman een speciaal atelier bouwen, even buiten Amsterdam.

Negenenzestig personen zijn op het schilderij herkenbaar, onder wie de hertog van Wellington, de prins van Oranje en heel in de verte Napoleon. De schilder maakte een groot aantal voorstudies. Hij reisde daartoe drie keer naar Londen, waar hij de hoge officieren portretteerde in de houdingen die ze later op het schilderij zouden krijgen. Tijdens zijn verblijf in Londen was Pieneman langdurig te gast bij de hertog van Wellington, die de centrale plaats op het schilderij heeft gekregen.

Links op de voorgrond schilderde Pieneman prins Willem, zittend op een brancard. Hij was gewond geraakt aan zijn schouder, maar dat had – zoals hij zelf aan zijn ouders schreef – weinig te betekenen. Van veel groter belang was de overwinning op Napoleon, die op dat moment, 18 juni 1815, half acht 's avonds, bij Waterloo behaald werd. Op dat moment namelijk bracht luitenant-kolonel Freemantle (links, te paard, met zijn muts in zijn opgeheven rechterhand) aan Wellington en zijn staf het bericht dat de Pruisen op het slagveld waren aangekomen. Zij kwamen de Brits-Nederlandse troepen versterken en zo konden de Franse legers van Napoleon worden verslagen. *Victoria! Victoria!* schreef prins Willem.

Dit portret van de schilder werd door zijn zoon Nicolaas gemaakt. Nicolaas Pieneman (1809-1860) werd in zijn tijd al als een groot portret- en historieschilder gezien. Een tijdgenoot schreef: 'de penseelbehandeling van den Heer N. Pieneman, is in den hoogsten graad geestig en bevallig'.

Napoleon

plaats waar Willem gewond werd

Freemantle

Wellington

Prins Willem

58

Pieneman heeft met deze historische voorstelling een hommage gebracht aan de hertog van Wellington en de populaire prins van Oranje. De eigenlijke veldslag speelt zich op de achtergrond af. Met de werkelijkheid nam Pieneman af en toe een loopje: de uniformen zijn niet allemaal correct weergegeven; de prins was op een andere plaats van het slagveld gewond geraakt en de hoofdrolspelers zien er keurig uit, terwijl ze toch al dagen op het slagveld zijn. Toch had Pieneman zelf het idee dat hij een schilderij vol actie had gemaakt. In een toelichting op het werk schreef hij: *Een engelsch officier, met name Freemantle nadert in vollen ren, en geeft, al wuivend met den hoed, den hertog van Wellington van deze aankomst kennis, welke heugelijke tijding zich als een elektrike schok door alle de gelederen verspreidt en ieder als met vernieuwden moed bezielt.*

De *Slag bij Waterloo* heeft Pieneman geen windeieren gelegd. Koning Willem I kocht het voor het kapitale bedrag van f 40.000. De koning gaf de *Slag bij Waterloo* cadeau aan zijn zoon, de prins Willem van Oranje, waarna het schilderij zou komen te hangen in diens nieuwe Paleis in Brussel. Maar voordat het zover was, werd het grote historiestuk tentoongesteld in Londen, Amsterdam, Gent en Brussel. Deze exposities leverden Pieneman nog eens f 50.000 aan entreegelden op. Om dit laatste werd de schilder nogal bekritiseerd, want een dergelijke exploitatie van een schilderij achtte men in die tijd uit den boze.

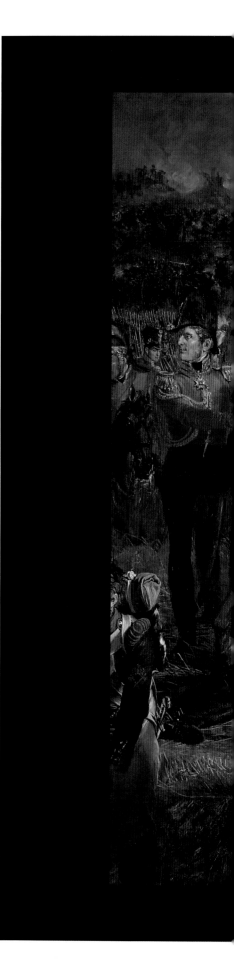

De hertog van Wellington zit als een vorst te paard en lijkt niet erg als aanvoerder bij een grote veldslag betrokken. De manier waarop hij is weergegeven, zo stram op zijn paard, doet denken aan een ruiterstandbeeld.

De Franse schilder Eugène Delacroix (1798-1863) zag de Slag bij Waterloo heel anders. De avondschemering is gevallen en de kruitdampen hangen er nog. Mens en dier liggen bloedend op het verlaten slagveld.

Jan Willem Pieneman (1779-1853), De Slag bij Waterloo, 1824, 576 x 836 cm.

Pieter Rudolph Kleyn (1785-1816), De ingang van het Park van St. Cloud te Parijs, 1809, 100 x 130 cm.

Een van de drie schilderijen van Kleyn uit het bezit van het Rijksmuseum: 'De Aqua Cetosa bij Rome'. Ook dit schilderde hij tijdens zijn verblijf in Rome.

Een zonnig park in Parijs

Hoge, statige bomen omzomen de brede lanen van het park. De mensen wandelen als kleine figuurtjes tussen deze reusachtige bomen door. Op de voorgrond komen twee lanen samen zodat een zandvlakte ontstaat, waarop de bomen hun lange schaduwen werpen. De doorkijkjes in het park versterken de dieptewerking. Links loopt de rivier de Seine met daar overheen een brug, de Pont de Sèvres. Tussen de bomen is een omheinde speeltuin te zien, waar een kind op een houten paard zit. Rechts kruisen lanen elkaar, totdat ze voor het oog verdwijnen, achter de bomen.

Pieter Rudolph Kleyn werd in 1785 in Hooge Zwaluwe geboren. Zijn eerste tekenlessen kreeg hij in Arnhem en hij vervolgde zijn opleiding in Dordrecht. In 1807 kreeg hij een beurs van koning Lodewijk Napoleon: als getalenteerd jong kunstenaar

werd hij in de gelegenheid gesteld om twee jaar in Parijs en twee jaar in Rome te studeren. In Parijs bestudeerde Kleyn werk van oude meesters, kwam in contact met de neo-classicistische kunstenaar David en schilderde onder leiding van de landschapschilder Bidauld. In die Parijse tijd maakte hij dit schilderij. Het is een monumentaal werk met neo-classicistische kenmerken; de compositie is uitgewogen, met veel lijnen, die aan de voorstelling grootsheid en helderheid verlenen.

Als tegenprestatie voor zijn beurs moest Kleyn jaarlijks een aantal schilderijen naar Nederland sturen. Die schilderijen kwamen uiteindelijk in bezit van het Rijksmuseum. In 1808 schilderde Kleyn het *Gezicht op de vlakte van Montmorency*. Critici keurden het goed, maar het schilderij werd wel wat stijf gevonden. De kunstenaar

werd aangeraden de natuur 'in het groot' te bestuderen. Ook op zijn inzending van een jaar later, *De ingang van het Park van St. Cloud*, had men aanmerkingen. Het zou te koud van toon zijn en Kleyn moest meer kleurenstudies gaan maken.

Na de jaren in Parijs trok Kleyn samen met zijn studiegenoten Alberti en Knip naar Rome, waar ze aan het einde van 1809 aankwamen. Tot 1811 werkte hij hier. Terug in zijn vaderland bood hij zijn diensten aan het leger aan en trok ten strijde. In 1815 raakte hij gewond in de Slag bij Quatre-Bras, voorafgaand aan de Slag bij Waterloo. Aan de gevolgen van zijn verwondingen overleed hij. Van de jong gestorven schilder zijn slechts een paar tekeningen bekend en drie schilderijen. Ze zijn alledrie in het bezit van het Rijksmuseum.

'Het Gezicht op de vlakte van Montmorency', dat Kleyn schilderde, kreeg als kritiek dat het wat stijf was; Kleyn zou de natuur in het groot moeten bestuderen.

Jan Willem Pieneman (1779-1853), Louis Royer, beeldhouwer, en Albertus Bernardus Roothaan, makelaar in effecten, kunstvriend en bevorderaar der wetenschappen, ca. 1825, 175 x 146 cm.

62

Louis Royer (1793-1868) maakte dit klei-beeldje van Rembrandt, zittend met een schetsboek in de hand. Het werd in Amsterdam tentoongesteld. Daarna kreeg Royer de opdracht het grote Rembrandt-standbeeld te ontwerpen. Royer zei zelf over het beeld: 'Ik heb gemeend, dat het hier vooral op aankwam, den Grooten Rembrandt in eene deftige natuurlijke houding en in zijn eigendommelijke karakter voor te stellen.'

Royers Rembrandt

De naam van Jan Willem Pieneman wordt door velen automatisch gekoppeld aan zijn enorme *Slag bij Waterloo*. Toch waren het zeker niet alleen de grote historiestukken die hem zijn faam bezorgden: Pieneman was ook een gewaardeerd portretschilder. Hij schilderde omstreeks 1825 een levendig portret van twee Amsterdammers: Albert Roothaan (zittend), makelaar in effecten, en Louis Royer, beeldhouwer. Roothaan, die grote belangstelling voor kunst had, feliciteert zijn vriend Royer met het behalen van een belangrijke prijs, de Prix de Rome. Deze prijs werd uitgeloofd door de Koninklijke Akademie van Beeldende Kunsten en bestond uit een som geld die de winnaar in staat stelde vier jaar in Frankrijk en Italië

te verblijven om daar zijn studie te voltooien. Royer had de prijs gewonnen met een beeld van een Griekse herder die vlucht voor een slang. De verwachtingen die men bij het uitreiken van de prijs in 1823 van Royer had, zijn aardig vervuld. Want hoewel deze kunstenaar tegenwoordig niet zo hoog meer staat aangeschreven, kreeg hij belangrijke opdrachten. Royer maakte de standbeelden van Vondel en Rembrandt in Amsterdam, van Laurens Janszoon Coster in Haarlem en het standbeeld van Michiel de Ruyter in Vlissingen. Het standbeeld van Rembrandt neemt een belangrijke plaats in, in de geschiedenis van de Rembrandt-waardering. In de 18de en het begin van de 19de eeuw was Rembrandts roem

lang zo groot niet als tegenwoordig. Maar toen in 1840 in Antwerpen een standbeeld voor Rubens werd opgericht, kon Nederland natuurlijk niet achterblijven en moest ook hier een nationale kunstheld geëerd worden. Daarom lanceerde de Haagse schilder Johannes Bosboom in 1840 het idee om in Nederland een standbeeld voor Rembrandt op te richten. Dit idee viel in goede aarde en al snel was er een bedrag van 1600 gulden ingezameld en een Haagse commissie opgericht om het plan uit te voeren. Ook in Amsterdam richtte men een commissie op uit de gelederen van de kunstenaarsvereniging Arti et Amicitiae. De commissies werden het er na een prijsvraag over eens dat Louis Royer het beeld moest maken. Vanuit het land werd geprotesteerd. Pamfletten werden verspreid met de tekst: *Waarschuwend woord aan land- en stadgenooten, tegen het dwaasselijk verspillen van hun geld aan de oprigting van een standbeeld voor Rembrandt.* Ruim tien jaar later was het beeld er, weliswaar niet van brons – zoals gepland – maar van ijzer. Op 27 mei 1852 onthulde koning Willem III het op de Botermarkt in Amsterdam, het huidige Rembrandtsplein. Royers schepping staat daar nog steeds.

63

Na ruim honderd jaar buiten te hebben gestaan, krijgt het ijzeren Rembrandt-beeld in 1956 een opknapbeurt. In 1852 werd het beeld onthuld op de toenmalige Botermarkt. Later werd de naam van het plein omgedoopt in Rembrandtsplein.

In 1867 werd het standbeeld van Vondel in Amsterdam onthuld. Louis Royer heeft de dichter in een klassieke pose neergezet, met lauwerkrans getooid. De zittende figuren aan de voet van de sokkel stellen treurspel, lierdicht, gewijde poëzie en hekeldicht voor.

Pieter Gerardus van Os (1776-1839), De vaart bij 's-Graveland, 1818, 111,5 x 89,5 cm.

Van december 1813 tot mei 1814 was Van Os als kapitein van de vrijwilligers betrokken bij het beleg van Naarden. Hier hadden Franse bezettingstroepen zich verschanst. Allerlei militaire taferelen die hij in en om Naarden zag, legde hij vast.

Een zicht uit een zolderraam

Op de voorgrond is nog een klein stukje van de vaart te zien. Koeien worden verkampt; in de verte strekt zich het Hollandse landschap uit. P.G. van Os schilderde de horizon laag, waardoor de lucht benadrukt wordt.

Een verrassend schilderij, dat is *De vaart bij 's-Graveland* zeker. Links snijdt een vaart strak door het polderland, een diagonale lijn vormend. De blik van de toeschouwer wordt hierdoor naar de horizon geleid, naar de verte. Rechts vormen een hek en weggetjes ook diagonale lijnen. Alle lijnen voeren naar het verschiet, maar de plaats waar ze samen komen is niet te zien. Een flink huis belemmert daar het zicht. In de boomgaard bij het huis loopt een man, twee hondjes spelen er. De schilder gaf dit alles vanuit een hoog standpunt weer, waarschijnlijk vanuit een zolderraam van het buitenverblijf van zijn opdrachtgever. Dat was de Amsterdamse koopman Herman Waller, die de landschapschilder Pieter Gerardus van Os de opdracht had gegeven om het uitzicht vanuit zijn buitenhuis vast te leggen. De kunstenaar schilderde het vanuit twee gezichtspunten: *De vaart bij 's-Graveland* heeft namelijk een pendant. Ook dit tweede schilderij toont het Hollandse polderlandschap vanuit een hoog gelegen

gezichtspunt: het is het *Vergezicht over de weilanden bij 's-Graveland*. Op de voorgrond is de vaart nog net te zien; een groepje koeien wordt naar een andere wei gebracht. Dit schilderij is veel traditioneler dan het werk met de schuin weglopende vaart. Van Os schilderde vrijwel uitsluitend landschappen en veestukken.

Aanvankelijk waren zijn werken nog in de trant van 17de-eeuwse kunstenaars als Paulus Potter. Gaandeweg ontwikkelde hij een stijl waarbij hij zijn 17de-eeuwse voorbeelden losliet en meer naar de werkelijkheid ging werken.

Dat realisme is terug te vinden in *De vaart bij 's-Graveland*. Van Os laat het stukje Holland zien dat hij zag vanuit zijn opdrachtgevers raam, op een bepaald moment. Het is het einde van een mooie lentedag. Er zit fris groen aan de bomen en struiken, avondlicht valt over bomen en daken.

Het geheel maakt een toevallige indruk: de vaart die plots ophoudt op de voorgrond, de boomkruinen die afgesneden zijn aan de onderrand van het beeld. Binnen het oeuvre van Van Os neemt dit schilderij een aparte plaats in; het is een oorspronkelijk werk, voor die tijd vooruitstrevend.

De opmerkelijke compositie van 'De vaart bij 's-Graveland', met de duidelijke diagonalen, doet denken aan een ander opmerkelijk schilderij: 'Het laantje van Middelharnis' van de 17de-eeuwse schilder Meindert Hobbema, dat nu in The National Gallery in Londen hangt.

66

*Hier en daar plaatste
Wouter van Troost-
wijk wat figuurtjes in
het koude stadsge-
zicht.*

Winter in Amsterdam

Ook bij dit schilderij weet Van Troostwijk onmiddellijk de sfeer van een seizoen op te roepen. Het zonlicht wordt gefilterd door de bladeren. Helder wit wasgoed droogt in de zon en steekt af bij het frisse groen van het gras.

Winter in Amsterdam. Het is kil en stil in de stad. De Westertoren verdwijnt in de mist, is nog slechts een vage schim achter de huizen aan de Bloemgracht. Het poortje links is het Raampoortje aan de Singelgracht. Dit poortje gaf toegang tot de bleekvelden buiten de stadswal, waar vroeger lakense stof te drogen werd gelegd. Dat laken spande men op een raam, en daar komt de naam 'Raampoortje' vandaan. In 1846 werd het poortje afgebroken.

Het is een vrij ongewoon beeld, dat Wouter Johannes van Troostwijk hier vastlegde, zeker voor die tijd. Het is geen belangrijk gebouw dat hij tot onderwerp nam, geen beroemde Amsterdamse lokatie. Van de stad is eigenlijk niet veel te zien. Het ging Van Troostwijk dan ook eerder om de sfeer van deze koude winterdag. Dat was bijzonder, want pas een halve eeuw later zouden kunstenaars als Matthijs Maris en Willem Witsen zich bezighouden met het vastleggen van stemming en sfeer.

Dit stadsgezichtje is een uitzondering in het werk van Van Troostwijk, die zich vooral toelegde op het schilderen van landschappen. De *Bouwhoeve aan de oever van een beek in Gelderland* is representatiever voor zijn oeuvre. Het ontstond in hetzelfde jaar als *Het Raampoortje te Amsterdam*, 1809. Fraai schilderde de kunstenaar het witte wasgoed op het groene gras. Ook in dit landschap creëerde de schilder een ingetogen sfeer. Iets van de 17de-eeuwse meesters als Jacob van Ruisdael en Willem van de Velde is nog in zijn werk te herkennen, maar Van Troostwijks weergave is wel erg origineel. De natuur stond hoog in zijn vaandel. Zelf zei hij hierover: *Potter, De Jardin, Van de Velde bewonder ik, maar de eenvoudige en schoone Natuur volg ik alleen. Zoo gij mijn werk vergelijken wilt, vergelijk het met dat van mij zelven in vorige dagen; of liever, vergelijk het met de schoone Natuur.*

Helaas zou de talentvolle jonge kunstenaar vroeg sterven; hij werd slechts 28 jaar. Van hem zijn slechts zeven schilderijen bekend, waarvan er zich vier in het Rijksmuseum bevinden. Eén daarvan is een zelfportret, uit 1809, waarop hij gezeten voor een ezel, met een palet, schildersstok en penselen in de aanslag, zelfbewust de beschouwer aankijkt.

Van Troostwijk maakte dit zelfportret een jaar voor zijn dood. Hij schilderde zichzelf met zijn schildersstok, palet en penselen, zittend voor zijn ezel.

Drama in Egypte

Een drama lijkt zich te voltrekken. Een mooie vrouw slaat haar ogen wanhopig op. In haar rechterhand heeft zij een dolk, ze staat op het punt deze door haar hart te steken. Een man houdt haar tegen, vrouwen weeklagen. Op de achtergrond ligt een man dood op een bed. Jean Eugène Alberti schilderde een scène uit de klassieke geschiedenis: de Egyptische koningin Cleopatra wil zich van het leven beroven. Maar waarom?

Het nogal ingewikkelde verhaal is beschreven door de Griekse geschiedschrijver Plutarchus. Na de moord op Julius Caesar - 44 voor Christus - breekt in Rome een machtsstrijd uit tussen Caesars adoptiefzoon Octavianus en de veldheer Marcus Antonius die met de Egyptische koningin Cleopatra een verbond vormt. In het jaar 31 voor Christus vindt de Slag bij Actium plaats. Antonius en Cleopatra worden daar door de vloot van Octavianus verslagen. Ze vluchten naar Egypte en de koningin verschuilt zich met twee dienaressen in een monumentale graftombe. Het gerucht doet de ronde dat ze dood is. Antonius doet een zelfmoordpoging; stervend hoort hij echter dat zijn geliefde Cleopatra nog leeft. Hij sleept zich daarop naar de graftombe en na een laatste blik op zijn geliefde sterft hij.

Intussen heeft hun tegenstander Octavianus zijn afgezant Proculejus naar de graftombe gestuurd om Cleopatra gevangen te nemen. Om te voorkomen dat zij levend in zijn handen valt, wil ze zich met een dolk doorsteken. Maar: Proculejus verhindert dit.

Alberti schilderde het tafereel als een toneelscène. De dramatische gebeurtenis wordt sterk belicht. Het lijkt of iedereen in een verstijfde pose staat. Het is een echt classicistisch schilderij, qua onderwerp en uitbeelding. Klassieke kleding, klassieke entourage, een statische uitbeelding. In Alberti's schilderijen zijn Franse invloeden te bespeuren. Dat is niet zo vreemd, want Alberti was enige jaren leerling van de beroemde Franse neoclassicistische schilder Jacques Louis David. Van hem nam hij de koele manier van uitbeelden over. Vanuit Nederland kreeg hij het commentaar – van Cornelis Apostool, directeur van het Koninklijk Museum – dat het schilderij te zeer beïnvloed was door de Franse school en dat de uitbeelding van handen, voeten en draperieën niet helemaal deugde.

Dit schilderij van Jacques Louis David, de leermeester van Alberti, laat een toneelachtige scène zien. Een drama voltrekt zich, maar de voorgestelde personen staan er stijf en geposeerd bij. De kleuren zijn koel en afstandelijk.

Cornelis Kruseman (1797-1857), De graflegging van Christus, 1830, 330 x 290 cm.

Kruseman schilderde
dit werk van Rafaël
van Maria met kind
– de 'Madonna della
Sedia' – in zijn eigen
schilderij als eerbe-
toon aan de grote
16de-eeuwse
Italiaanse meester.

In de hoekversiering
van de lijst komt het
motief van de palm-
bladeren terug.

De Nederlandse Rafaël

Jozef van Arimathea nam het lichaam van Christus en wikkelde het in zuiver linnen, en legde het in een nieuw graf dat hij in de rots had laten uithouwen.

Zo wordt in het bijbelboek Mattheus de begrafenis van Jezus beschreven. Het moment dat Cornelis Kruseman koos valt net voordat Jezus in het linnen gewikkeld wordt. Voor de laatste keer houden Maria en Maria Magdalena het lichaam vast en zij treuren. De titel *Graflegging van Christus* is eigenlijk onjuist. Het tafereel zou *De bewening van Christus* moeten heten. Elf levensgrote figuren bevolken het doek, Christus heeft een centrale plaats. Op de achtergrond is links een begroeide rotspartij te zien en rechts een palmboom. De bladeren van de palmboom komen terug in de hoekversiering van de lijst; lijst en schilderij vormen daardoor een mooi geheel. Oorspronkelijk schilderde Kruseman nog een twaalfde persoon op het schilderij, rechts van de staande vrouw met het jongetje. Wie daar stond is onbekend, en wellicht is de figuur later overschilderd om de compositie te verbeteren.

De Bewening is een heel statisch schilderij, van actie of interactie is nauwelijks sprake. Een beetje zoetig en sentimenteel doet het schilderij aan en die kritiek hadden sommige tijdgenoten dan ook op het schilderij van Kruseman. Over een ander werk van deze schilder werd geschreven: *Dit stuk van Kruseman helt over naar het doodgewerkte en tamme, omdat hij de uitvoering van Rafaël en de smeltende manier van Carlo Dolci heeft willen naarvolgen.*

Inderdaad wilde Kruseman Rafaël navolgen. Hij ging naar Italië, op eigen kosten, om daar de kunstschatten te bewonderen. Rafaël was zijn favoriet. Over diens talent schreef hij: *De waarheid tot grondslag nemende, bereikte Raphaël vooral het doel der kunst, altijd door natuurlijk schoone, nooit door gezochte of gepijnigde zamenstellingen.* Italiaanse kunstenaars schilderden ook in Krusemans tijd nog volop religieuze onderwerpen. In Noord-Nederland was dat veel minder gebruikelijk, omdat het protestantisme daar de boventoon voerde. Toch probeerde Kruseman vanuit dat protestantisme religieuze kunst te maken. Zijn genrestukken en portretten werden meestal meer gewaardeerd. Tijdens een verblijf in Rome, vermoedelijk in 1823, schilderde hij *Godsvrucht*, een schilderij met een duidelijk religieus karakter: een groep Italiaanse landlieden knielt in een bos. De groep bidt voor een devotie-prentje, een kopie naar Rafaëls schilderij *Madonna della Sedia*. Kruseman maakte zo zijn bewondering voor de grote meester duidelijk. Met de *Godsvrucht* oogstte Kruseman veel succes. Hij stuurde het naar zijn ouderlijk huis in Amsterdam vanwaar uit het in 1824 verkocht werd aan het Rijk voor het hoge bedrag van f 1200: *zoo wel voor de verdiensten van dit schilderstuk als ook ter aanmoediging van een jong kunstenaar die buiten kosten van 's lands wege zich naar Italien begeven heeft om zijn talent verder uit te breiden en te volmaken.*

Italiaanse landlieden knielen in een bos om daar te bidden. Linksboven hangt een afbeelding, een kopie van Rafaëls schilderij 'Madonna della Sedia'.

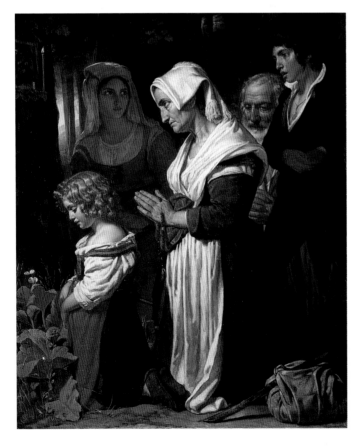

Barend Cornelis Koekkoek (1803-1862), Winterlandschap, 1838, 62 x 75 cm.

Een groep landschapschilders gaat op weg om buiten in de natuur te tekenen en te schilderen. Koekkoek maakte deze tekening. Misschien zijn het Koekkoeks reisgenoten met wie hij door België en Duitsland trok. Het beviel Koekkoek dermate in Duitsland dat hij in Kleef een tekenacademie oprichtte. Tegenwoordig is daar een museum gevestigd, helemaal gewijd aan Koekkoek.

Romantische winters

Om de ijzige tint van de lucht goed te mengen moet je het dasseharen penseel nemen en laten draaien en daarna uitpenselen. ... Als het ijs goed is voorbewerkt, d.w.z. dat de achtergrond goed droog is, dan glaceert men daarop de weerschijn en maakt men, heel licht, de sneeuw met karmijn wit, ultramarijn. De barsten in het ijs worden gedaan met heel fijne penselen evenals de stukken ijs die los bovenop liggen. Om schaatssporen in de sneeuw te krijgen, brenge men eerst wit op, en men krasse vervolgens met het heft van het penseel in de verf die nog nat is. De bomen worden krachtig geschetst... Aldus Barend Cornelis Koekkoek in een aanwijzing aan zijn leerling Félix Bovie.

Die ijzige kou heeft Koekkoek hier knap weten te treffen. Overal ligt sneeuw, op de daken van de huizen, op alle bomen, op ieder takje. Het vriest; de zon doet zijn best en lange schaduwen vallen over de sneeuwvlakte. Het is koud, maar toch zijn er nog heel wat mensen onderweg.

Iemand die Koekkoek wist te evenaren met zijn winterlandschapjes was Andreas Schelfhout. Op menig kalender prijkt een reproduktie van een van zijn wintergezichten, als illustratie van de maanden december of januari. Schelfhout was enorm populair in binnen- en buitenland met dit genre schilderijen. De echte Hollandse ijspret, maar ook het gewone leven dat doorgaat ondanks bittere kou observeerde hij zorgvuldig en gaf hij raak weer. Het schilderij *Een bevroren vaart bij de Maas* laat zo'n Hollands tafereeltje zien. Het ijs is glashelder, met sporen van sledes en schaatsers, met barsten en met wat vastgevroren stenen en takken. Men is druk in de weer. Er wordt geschaatst, er wordt hout gesprokkeld of men warmt zich bij een koek-en-zopie.

Gedurende zijn hele carrière schilderde Andreas Schelfhout dergelijke wintertafereeltjes. Tussen 1817 en 1869 exposeerde hij jaarlijks op de

Tentoonstellingen van Levende Meesters, en vooral zijn winters deden het daar goed. In 1857 werd de kunstenaar ter gelegenheid van zijn 70ste verjaardag geëerd, door een paar honderd Nederlandse kunstenaars. Bij die gelegenheid werden de volgende regels geschreven:
Uw winter overtreft uw lent' in rijk gebloemt; Heel Nederland heeft u lief, waar heel Euroop u roemt.
Tijdens zijn leven was Schelfhouts werk zeer geliefd, maar rond 1870, toen de kunstenaars van de Haagse School populair werden, raakte Schelfhouts schilderkunst op de achtergrond. Roddels doen dan de ronde, als zou Schelfhout in Amsterdamse hotels tekeningen hebben 'samengeflanst' en tijdens theeuurtjes 'Schelfhoutjes' hebben gemaakt! Inmiddels is zijn reputatie weer in ere hersteld.

Andreas Schelfhout heeft veel leerlingen gehad, onder wie Wijnand Nuyen, de meest zuivere vertegenwoordiger van de Nederlandse romantiek, Johan Barthold Jongkind, een voorloper van het impressionisme in Frankrijk en Charles Leickert. Over diens werk schreef Jan Poortenaar in 1943 in zijn boek *Schilders van het Hollandse landschap: Charles Leickert's wintergezichten geven een verzwakten Schelfhout te zien; het is of hij met porselein op porselein schildert. Men kan dit soort peuteraars een zekere vakkundigheid niet ontzeggen, maar men behoudt dezelfde waardering voor hun glad gepolitoerde oppervlak als men deze schilderijen ondersteboven zet ...*
Dit beeld werd tien jaar later door Van Wessem in een catalogus weer bijgeschaafd: *Charles Leickert, in België geboren; maar is er één Hollandser dan hij in het weergeven van het bevroren kanaal*

Andreas Schelfhout (1787-1870), 'Een bevroren vaart bij de Maas', voor 1867, 70 x 107 cm.

of het Hollandse licht op een milde zomer-dag, gezeefd over de trekvaart, met op de voorgrond een fraaie molen... Het Rijksmuseum bezit twee wintergezich-ten van zijn hand.

Koekkoek legde niet alleen de winter vast, maar schilderde ook andere jaar-getijden. *Gaat naar buiten, beschouwt den schoonen zilverachtigen morgenstond, den gulden avond, een schoonen lente- en herfstdag, de geduchte werkingen der natuur, een storm, een opkomend of afdrijvend onweder.... die gij naderhand op uwe kamer op het doek of paneel kunt trachten te verwezenlijken,* schreef Koekkoek in 1841 in zijn *Herinnerin-gen en medeedeelingen van eenen land-schapschilder.*
Een zomers tafereel is te zien op zijn schilderij uit 1848, *Bosgezicht.* Een oude eik vormt eigenlijk het onder-werp van het schilderij. Knoestig, gril-lig en kaal, zo schilderde Koekkoek

de boom, als middelpunt van de voor-stelling. Achter de oude boom staat een boom die niet is aangetast door ouderdom. Die steekt fris en groen af bij de oude eik. Minutieus gaf Koekkoek de bladeren weer en de schors van de boom vol met barsten. Het bosgezicht wordt bevolkt door vee, door koeien, schapen, ezels, een paard en een hond. Een herdersfami-lie zit aan de voet van de boom en een vrouw spreekt met een ruiter. Dit lieflijke tafereeltje wordt beschenen door het zonlicht van het late mid-daguur.
Het is een romantisch beeld, dat Koekkoek hier schetst. Het is niet de romantiek zoals Nuyen die weergeeft: wilde taferelen met onweer, storm, scheepsrampen en woest bergland. Meestal beeldde Koekkoek uiterst kalme bos- of heuvellandschappen af, glad en precies geschilderd.
Gedurende meer dan veertig jaar

werkte Koekkoek als landschapschil-der naar de natuur. In zijn werk wilde hij de waarheid in die natuur zoveel mogelijk benaderen. De natuur is immers zo gevarieerd, die hoeft niet mooier gemaakt.

Koekkoek schilderde een groen landschap met een bemoste eik als middelpunt. Ook hier zijn figuurtjes in het landschap neerge-zet, net als bij zijn wintergezichten. Het lijkt alsof zij slechts ter decoratie zijn toe-gevoegd, de nadruk ligt op de natuur.

Een heel intiem beeld geeft dit schilderijtje van Schelfhout. Het neemt een bijzondere plaats in binnen zijn oeuvre dat voor het grootste deel bestaat uit ijs- en wintergе-zichten.

Charles Henri Joseph Leickert (1816-1907), Wintergezicht, 1867, 133 x 191 cm.

*Leickert werd in 1816 in Brussel geboren, maar
al vroeg verhuisde hij met zijn ouders naar Den
Haag, alwaar hij in 1827 werd ingeschreven als
leerling aan de Teekenakademie. Verder werkte
hij onder andere jarenlang in Amsterdam. In
1887 vertrok hij naar Mainz in Duitsland,
waar hij in 1907 overleed.*

*Wijnand Nuyen was pas 26 jaar toen hij over-
leed. De schok was groot. Men had in Nuyen een
groot talent gezien. De musicus Verhulst schreef
aan Nuyens vriend de schilder Bosboom:'... de
dood van den onvergetelijken Nuyen heeft mij
diep geroerd. Jan, nu ligt de hoop voor de jonge
schilderschool op U. Gewis zijt gij na Nuyen de
eenige welke haar vervullen kan'. Maar Bosboom
was niet in staat de rol die Nuyen gespeeld had
over te nemen.*

Groots en meeslepend

Angst, ontreddering, een vliegende storm wordt de driemaster en zijn bemanning fataal. De zon breekt even door en een onwezenlijk, vals licht beschijnt het tafereel. Het zonlicht dat door de wolkenmassa breekt verlicht een deel van de steile rotspartij op de achtergrond en maakt het schouwspel op de voorgrond des te dramatischer. Overlevenden zijn druk in de weer met het verzamelen van spullen die van het schip afkomstig zijn. Sommigen warmen zich aan de vuren die zijn ontstoken. Op het witte zeildoek ligt een aantal drenkelingen uitgeput, buiten bewustzijn, of dood. Het drama van deze schipbreuk is door Wijnand Nuyen groots verbeeld. De mens is nietig en machteloos tegenover zoveel natuurgeweld. De romantische manier waarop Nuyen de ramp in beeld bracht, is voor een Nederlandse kunstenaar in die tijd uniek. Nuyens kleurgebruik

en schildertrant waren vernieuwend, het formaat van het doek – anderhalf bij twee meter – was spectaculair. Andere Nederlandse schilders uit zijn tijd legden de nadruk op de nabootsing van de natuur. Zij onderdrukten iedere emotie en lieten zich inspireren door voorbeelden uit de Gouden Eeuw. Nuyen doorbrak die traditie en ging – zeker voor Nederlandse begrippen – ongeremd om met kleur en creativiteit. Hij componeerde een huiveringwekkend schilderij, groots en meeslepend.

Met deze manier van schilderen vertegenwoordigde Nuyen op geheel eigen wijze de romantische beweging in Nederland. De jonge schilder reisde in 1833 samen met zijn collegaschilder Antonie Waldorp naar Frankrijk. In Nederland had hij zijn leertijd al glansrijk doorlopen, eerst bij Andreas Schelfhout en daarna aan de Haagse Teekenacademie. Toen hij

op zijn twintigste naar Frankrijk vertrok, had hij al verschillende prijzen en onderscheidingen op zak. In Frankrijk ontmoette Nuyen kunstenaars onder wie de Engelsman Richard Parkes Bonington en de Franse schilder Eugène Isabey. Bonington en Isabey schilderden in Normandië pittoreske oude buurtjes, havens en kustlandschappen met een vrije, spontane toets. Zij hadden gekozen voor een romantische manier van schilderen: intens kleurgebruik, sterke contrasten, meer nadruk op een dramatisch geheel dan op details. Hun verbeelding van de natuur en het alledaagse was voor Nuyen aanstekelijk.

Voor Nederlandse begrippen was Nuyen uitbundig en vernieuwend. Sommigen bewonderden hem, zoals de jonge Bosboom; anderen bekritiseerden zijn overdrijving, zijn kleurigheid en de verwaarlozing van de correcte vorm. Na Nuyens dood op 26-jarige leeftijd werden in een herdenkingsartikel in het kunsttijdschrift *De Beeldende Kunsten* zijn genie en fantasie geprezen. Zijn *Schipbreuk* werd een 'zeer kapitaal' schilderij genoemd.

Volgens een aantal critici was Nuyen met zijn manier van schilderen op de verkeerde weg: '... een jong en zeer veel belovend kunstenaar die hoe langer hoe meer tot den verkeerden Romantischen smaak begint over te hellen, en, door den modegeest des tijds meegesleept, liever een gemakkelijk effect zonder waarheid en natuurlijkheid, dan eene krachtige en levendige uitdrukking der voorwerpen schijnt te bedoelen'.

Anthony Oberman (1781-1845), De harddraver 'de Rot'
van Adriaan van der Hoop bij het koetshuis, 1828, 61 x 54,5 cm.

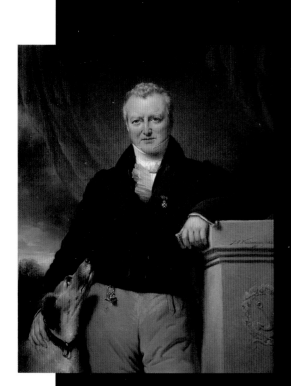

Jan Adam Kruseman (1804-1862) was een leer-
ling van zijn neef Cornelis. Les kreeg hij verder
in Brussel en na een verblijf in Parijs keerde hij
in 1825 naar Amsterdam terug om zich daar te
vestigen. Van 1830 tot 1850 was hij directeur
van de Koninklijke Akademie in Amsterdam.
Tevens was hij een van de oprichters van het
kunstenaarsgenootschap Arti et Amicitiae.
Behalve portretten, zoals dit van de verzamelaar
Adriaan van der Hoop, schilderde hij ook
figuurstukken met bijbelse en historische onder-
werpen.
Bij Van der Hoop benadrukken het afhangende
gordijn en de zuil de importantie van de gepor-
tretteerde. Een zuil was het symbool van stand-
vastigheid, van betrouwbare kracht, waarop
in dit geval ook nog een verwijzing staat naar
Van der Hoop: het omkranste anker.

De verzamelaar Adriaan van der Hoop

Op de lijsten van flink wat schilderijen in het Rijksmuseum is een klein bordje bevestigd waarop te lezen staat: 'collectie Van der Hoop'. Dat bordje heeft betrekking op Adriaan van der Hoop, een vooraanstaand bankier in Amsterdam in de eerste helft van de 19de eeuw. Van der Hoop stelde een uitzonderlijk fraaie schilderijenverzameling samen, die bij zijn dood in 1854 eigendom werd van de stad Amsterdam. Jarenlang was de collectie tentoongesteld in het Oudemanhuis – waar nu de Universiteit van Amsterdam gehuisvest is – tot zij in 1885 kwam te hangen in het nieuwe Rijksmuseumgebouw. Zo kwamen schilderijen als het *Joodse Bruidje* van Rembrandt en de *Brieflezende vrouw* van Vermeer in het Rijksmuseum.

De schilder Jan Adam Kruseman maakte een portret van Van der Hoop. Het portret geeft de welgestelde Amsterdammer weer in een ontspannen houding. Met één arm leunt hij op een stenen sokkel. Hij aait de hond die naast hem staat en braaf naar hem opkijkt. Ondanks de nonchalante pose is het wel duidelijk dat het hier gaat om een invloedrijk persoon. Hij is geportretteerd als een zelfbewuste man, een machthebber. Het anker op de sokkel is een toespeling op zijn naam: het anker is een symbool van de hoop.

Behalve met het verzamelen van kunst hield Van der Hoop zich ook bezig met de paardesport. Zijn paard 'de Rot' is het onderwerp van een schilderij van Anthony Oberman. Die maakte dit meesterlijke portretje van

het paard. Niet de koetsier of de koets trekt de aandacht: het gaat bij dit schilderij écht om het paard. Het steekt donker af tegen de lichte muur van het koetshuis. Het paard is zorgvuldig weergegeven, met slanke benen en glanzende flanken. Opvallende details zijn het bewerkte hoofdstel van het dier en de rozet op zijn achterwerk. Om te voorkomen dat het paard tijdens het draven met zijn staart zou gaan slaan en zo het besturen vanaf de bok zou bemoeilijken, werd bij harddravers vaak de staart opgebonden. Dat is bij 'de Rot' ook gebeurd en een rozet versiert de gebonden staart. Links staat een houten emmer waarop de letters V.D.H. staan: Van der Hoop.

Alles is helder en overzichtelijk weergegeven, de compositie is uitgewogen. Oberman was een kenner en liefhebber van paarden en dat blijkt wel uit dit schilderijtje. In de collectie van het Rijksmuseum bevindt zich nóg een portretje van een harddraver eveneens uit de collectie Van der Hoop. Behalve dergelijke schilderijen met paarden, schilderde Oberman ook landschappen en weiden met vee. Later in zijn carrière legde hij zich tevens toe op bloem- en fruitstillevens.

Kunstverzamelaar Van der Hoop had naast harddraver 'de Rot' nog een ander paard. Ook dat liet hij door Oberman portretteren. Het staat hier glanzend en energiek in de wei en de naam spreekt voor zich: 'de Vlugge'.

Jacobus Schoemaker Doyer (1792-1867), Jan van Speijk overlegt of hij de lont in het kruit zal steken, 5 februari 1831, 1834, 89 x 75 cm.

Restjes stof van de in de lucht gevlogen Van
Speijk zijn bewaard met een lakzegel en een bewijs
van echtheid en worden tentoongesteld in een aan
hem gewijde vitrine op de afdeling Nederlandse
Geschiedenis van het Rijksmuseum. Zijn over-
blijfselen zijn haast relieken, als bij een heilige.

'Dan liever de lucht in'

Jan van Speijk, bevelhebber van kanonneerboot nr. 2, staat in zijn kajuit, het pistool in de aanslag om een vat kruit in brand te schieten. Twee scheepslieden vluchten ijlings de kajuit uit. Van Speijks schip was in de haven van Antwerpen tegen de wal geslagen en werd belaagd door de Belgen. Om uit handen van de vijand te blijven zag Van Speijk maar één uitweg: zijn schip opblazen. Het is 1831, de Belgische Opstand tegen het Nederlands gezag is weliswaar in een wapenstilstand geëindigd, maar de schermutselingen duren voort. Van Speijk had tijdens de Opstand zijn sporen al verdiend: op het schilderij draagt hij de Militaire Willemsorde die hij daarvoor ontvangen had. Voor de heroïsche daad die hij hier op het punt staat te verrichten had Van Speijk een 17de-eeuws voorbeeld: Reinier Claasse die in 1606 zijn schip had opgeblazen om het uit de handen van de Spanjaarden te houden.

Van Speijk had laten weten dat hij liever zijn schip – met zijn bemanning en zichzelf – zou opblazen dan het over te geven aan de Belgen. *Dan liever de lucht in* waren de krijgshaftige woorden die hij zou hebben gesproken.

Van Speijks heldendaad werd in het vaderland, waar het nationale zelfbewustzijn door de afscheiding van België behoorlijk te lijden had gehad, met enthousiasme ontvangen. Eindelijk weer eens een held die zich kon meten met de grote zeehelden uit het verleden: Michiel de Ruyter en Maarten Harpertszoon Tromp. Jan van Speijk werd begraven in de Nieuwe Kerk in Amsterdam, waar zich ook het beroemde grafmonument van De Ruyter bevond.

De opdracht om dit schilderijtje te maken kreeg Jacobus Schoemaker Doyer in 1834, dus drie jaar na de feitelijke gebeurtenis. Opdrachtgever was de Amsterdamse verzamelaar en bankier Adriaan van der Hoop, eigenaar van een schitterende verzameling schilderijen.

Schoemaker Doyer was leraar aan de Kunstakademie in Amsterdam en schilderde veel stukken met historische onderwerpen. Hij was, achteraf gezien, een kunstenaar met een beperkt talent. In zijn eigen tijd oogstte hij vooral lof omdat hij het dramatische hoogtepunt van een gebeurtenis zo treffend kon weergeven.

De mythe van Van Speijk, vereeuwigd door de historieschilder Hendrik Breukelaar: Van Speijk brengt als jongetje een bezoek aan het grafmonument van Michiel de Ruyter in de Nieuwe Kerk in Amsterdam. Hij staat gekleed in het roodzwarte uniform van het weeshuis naar zijn grote voorbeeld te kijken. Van Speijk werd na zijn dood, net als De Ruyter, opgenomen in de rij van grote Nederlandse zeehelden.

Josephus Augustus Knip (1777-1847), De Golf van Napels met op de achtergrond het eiland Ischia, 1818, 90 x 109 cm.

Een stadsgezicht van Parijs, dat nogal koel over-komt. Dit effect bereikte Knip niet alleen door zijn kleurgebruik, maar ook door de mensen in zijn schilderij zeer klein ten opzichte van de gebouwen af te beelden. Parijs lijkt een bijna onbewoonde, uitgestorven stad.

In Italiaanse sferen

In het centrum van het schilderij, vaag in de verte, ligt het eiland Ischia, een kilometer of tien voor de kust van Napels. Een stralende zon beschijnt het landschap op de voorgrond. Dit landschap is, hoewel zeer gedetailleerd geschilderd, geen realistische weergave van de kust in de omgeving van Napels. Josephus Augustus Knip schilderde een fantasielandschap. Toch zijn de verschillende onderdelen van het schilderij te identificeren. Links is een stukje van het Colosseum zichtbaar, gedeeltelijk overwoekerd door begroeiing. Knip maakte tekeningen van dit grote amfitheater in Rome en gebruikte zo'n tekening voor dit schilderij. Zo ging het ook met andere delen van deze voorstelling. De bogen van het aquaduct in het midden tekende Knip ook in Rome, naar de resten van het Aquaduct van Nero. Het klooster op de berg rechts staat in werkelijkheid

in de buurt van het Colosseum: Santi Quattro Coronati. Het schijnbaar realistische landschap dat Knip schilderde is dus een combinatie van Romeinse brokstukken met op de achtergrond het eilandje Ischia. Josephus Knip leerde schilderen van zijn vader. Op 24-jarige leeftijd vervolgde hij zijn studie in Parijs, waar hij zich als landschapschilder ontwikkelde. In 1808 ontving hij van Lodewijk Napoleon een studiebeurs om nog twee jaar in Parijs en daarna twee jaar in Rome te studeren. Knip trok samen met Alberti en Kleyn naar Italië. Vanuit Rome bezochten ze onder meer Napels.
Toen Knip in 1818 het *Italiaanse landschap met het gezicht op Ischia* schilderde, was hij alweer enige jaren in Nederland. Hij gebruikte de vele schetsen uit Italië om zijn schilderijen te componeren. Vier van die schetsen voor dit schilderij zijn bekend: het

Colosseum, het aquaduct, het klooster en het kapiteel dat – op zijn kop – rechts op het pad staat. Dat kapiteel is een exacte weergave van een in Rome getekend kapiteel.
Niet alle Nederlandse critici waren enthousiast over Knips landschapschilderijen. Toch was het niet het gebrek aan realisme dat ze hem kwalijk namen. Het componeren van een schilderij ín het atelier, naar verschillende tekeningen, was immers sinds de 17de eeuw een gangbare werkwijze. Nee, het felle kleurgebruik en de gladde manier van schilderen riepen commentaar op. Men vond de schilderijen van Knip en andere Italiëgangers onpersoonlijk en Jeronimo de Vries schreef in een tentoonstellingsrecensie in 1818 dat de kleuren op het schilderij hem niet naar de natuur leken te zijn.
Eén belangrijke Nederlander was echter een onvoorwaardelijke bewonderaar van Knip. Dat was de toenmalige Rijksmuseumdirecteur Cornelis Apostool. Hij prees het *Italiaanse landschap met gezicht op Ischia* als een 'alleruitmuntendst schilderij' en kocht het in 1818 aan voor het Rijksmuseum voor het bedrag van f 600.

Knip maakte deze aquarel van het antieke Colosseum tijdens zijn verblijf in Rome. Overwoekerd en wel gebruikte hij dit als motief in het schilderij van de omgeving van Napels.

Abraham Teerlink (1776-1857), De waterval van Tivoli, 1824, 101 x 141 cm.

84

Teerlink maakte schetsen in de natuur, die hij later uitwerkte en gebruikte bij zijn schilderijen. Deze aquarel maakte hij in de omgeving van Tivoli. Behalve het kopiëren van 17de-eeuwse landschappen, was het tekenen naar de natuur een belangrijk onderdeel van de schildersopleiding.

De onbedwingbare kracht van de natuur

Met donderend geraas stort het water neer, een nevel hangt boven de rivier. In dit schilderij van Abraham Teerlink is de kracht van het natuurgeweld in Tivoli voelbaar. In de verte komt het onweer op, de tempel van de Sibylle steekt helder af tegen de dreigende lucht. De mensen links op de voorgrond gaan onbezorgd verder met het plukken van druiven. Abraham Teerlink schilderde dit Italiaanse landschap tijdens zijn verblijf in Rome, waar hij bijna vijftig jaar woonde.

Teerlink kwam in 1808 in die stad als beginnend schilder, financieel ondersteund door de Nederlandse overheid. Lodewijk Napoleon had verschillende maatregelen genomen om de beeldende kunsten in zijn rijk te bevorderen. Hij stelde jonge kunstenaars in de gelegenheid om in Parijs en Rome hun studie te voltooien. Een van de schilders die gebruik maakte van deze mogelijkheid was de landschapschilder Abraham Teerlink. Hij reisde in 1807 naar Parijs waar hij werk van grote meesters in de musea kopieerde. Teerlink concentreerde

zich op 17de-eeuwse Hollandse landschappen in het Louvre. In Rome, waar de omgeving schilderachtiger was dan in Parijs, moest hij het tekenen en schilderen naar de natuur leren.

Teerlink maakte net als alle andere Hollandse kunstenaars in Rome regelmatig uitstapjes. Een populaire bestemming was Tivoli, zo'n vijfentwintig kilometer ten oosten van Rome. Tivoli stond bekend om de watervallen, de Villa d'Este en de tempel van de Sibylle. Er zijn meer schilderijen van Teerlinks hand met Tivoli als onderwerp. Waarschijnlijk verkocht hij ze als souvenir aan toeristen. Tussen 1815 en 1840 verkocht de

Romeinse Hollander heel wat landschapschilderijen. Niet aan Nederlanders, maar vooral aan reizigers uit Engeland, Duitsland, Italië en Rusland.

De laatste jaren van zijn leven liep de verkoop minder goed. In deze periode – zo wil het verhaal – maakte Teerlink iedere dag een wandeling door Rome. Wanneer het regende ging de oude schilder niet naar buiten maar naar de tweede verdieping van zijn huis. Daar hing het vol met zijn eigen, niet verkochte schilderijen. Hij riep tegen zijn knecht: *Luigi, ik ga uit*, en bewandelde Rome en omgeving zonder last te hebben van de regen.

Teerlink schilderde, net als zijn 17de-eeuwse voorbeeld Jacob van Ruisdael, een grillig landschap met een dreigende lucht. Ruisdaels verlaten kasteel bovenop een berg is te vergelijken met Teerlinks tempel van de Sibylle: beide gebouwen torenen eenzaam boven het landschap uit.

Rochussen schilderde rennende paarden met de voorbenen naar voren en de achterbenen gestrekt naar achteren. De fotosequenties die de fotograaf Muybridge aan het eind van de vorige eeuw maakte laten zien hoe de beweging in werkelijkheid was. De snel op elkaar volgende momenten werden door hem vastgelegd; met een schok realiseerde men zich dat de beweging tot dan toe verkeerd was waargenomen.

Een ooggetuigeverslag

Het lijkt een ooggetuigeverslag, alsof de kunstenaar ter plekke met penselen, verf en doek in de weer is geweest. Dat zal echter niet het geval zijn geweest. Wel zal Charles Rochussen met potlood en papier bij de races aanwezig geweest zijn om dit tafereel later in zijn atelier te schilderen.

Rochussen beeldde de eerste paardenraces af die plaatsvonden op de renbaan van Scheveningen; hij schilderde de feestelijke opening op 3 augustus 1846. De vlaggen wapperen op de tribunes. De paarden snellen voorbij. Het publiek stroomt toe om de races van dichtbij gade te slaan. Het is een mooie zomerdag. Er zit snelheid in dit schilderij. Die snelheid wordt niet alleen veroorzaakt door de rennende paarden; ook de compositie van het schilderij draagt bij aan dat gevoel van dynamiek. Het hekwerk op de voorgrond en de hekken rechts werken als sterke diagonale lijnen in de voorstelling. Ze sturen het oog van de beschouwer naar de plaats waar het publiek samenklontert: daar waar de paarden over de finish gaan. Rochussen koos een lage horizon, flink onder het midden van het beeldvlak, zodat hij veel aandacht kon besteden aan de mooie wolkenlucht.

Het schilderij van Rochussen is een uniek tijdsdocument. Het was in zijn tijd niet gebruikelijk om een dergelijk actueel onderwerp zo vlot geschilderd en weinig kunstmatig weer te geven. Rochussen deed dat echter vaker. Hij schilderde koninklijke jachtpartijen, zeilwedstrijden op de Nieuwe Maas bij Rotterdam, roeiregatta's bij Dordrecht. Steeds weer wist hij zijn onderwerp trefzeker weer te geven, op doek of op papier.

Rochussen was een veelzijdig kunstenaar: hij schilderde, maakte affiches, illustreerde boeken en aquarelleerde. Vaak koos hij voor zijn aquarellen historische onderwerpen. De voorstelling van deze aquarel is ontleend aan de Griekse geschiedschrijver Cassius Dio: een Germaanse wichelares voorspelt de ondergang van de Romeinse veldheer Drusus. Belangrijke leerlingen van Rochussen zijn August Allebé en George Hendrik Breitner. Rochussen was geen liefhebber van de Haagse School; het verhalende element en de nauwkeurigheid van de detaillering stonden bij hem voorop.

Hendrik van de Sande Bakhuyzen (1795-1860), De schilder zelf, schilderend aan het werk in een weidelandschap met vee, 1850, 73 x 96,5 cm.

De schilder aan het werk

Een weide met koeien en schapen, in de verte bomen en links achter een glimp van een rivier. De schilder Hendrik van de Sande Bakhuyzen zit in z'n goeie goed, zijn hoge hoed naast zich in het gras, op een boomstronk met een schilderskist op zijn knieën. Een schilderijtje van een herkauwende koe is bijna klaar. De schilder heeft zich omgekeerd naar de toeschouwer. Eigenlijk kijkt hij naar zichzelf, want Van de Sande Bakhuyzen schildert zichzelf terwijl hij in de natuur aan het schilderen is. Zo ontstond een ongewoon zelfportret van de schilder aan het werk. Schilders van Bakhuyzens generatie maakten schetsen in de natuur, tekeningen en kleine schilderijtjes op paneel. Die studies waren niet bedoeld als zelfstandige kunstwerken; later in het atelier werden ze, soms verschillende malen, gebruikt voor grotere composities.

Ook dit zelfportret zal zo ontstaan zijn: een combinatie van indrukken, samengevoegd tot een geheel.

In de tijd waarin Van de Sande Bakhuyzen dit zelfportret maakte, in het midden van de 19de eeuw, experimenteerden schilders in Frankrijk met het maken van definitieve schilderijen buiten, in de natuur. Zij behoorden tot de zogenaamde School van Barbizon en waren de voorlopers van de latere impressionisten. In Nederland kreeg de School van Barbizon vanaf de tweede helft van de 19de eeuw grote invloed op de landschapschilders. Maar Bakhuyzen beeldde zichzelf af schilderend in de natuur.

Van de Sande Bakhuyzen heeft zich zijn hele leven beziggehouden met het schilderen van landschappen met dieren. Zijn grote voorbeeld was de 17de-eeuwse schilder Paulus Potter, beroemd om zijn *Stier* in het Mauritshuis. De manier waarop Bakhuyzen de planten links en de boomstronk schilderde is ongetwijfeld een eerbetoon aan deze schilder die een meester was in het weergeven van planten en bomen.

In 1850, het jaar waarin dit schilderij ontstond, was Bakhuyzen al vele jaren een van de meest succesvolle schilders van zijn tijd. Het verhaal gaat dat hij reeds als jongen de natuur introk om daar te tekenen; een vroege roeping die zijn ouders beloonden met een schildersopleiding. Het gezaghebbende kunsttijdschrift *De Kunstkronijk* schreef in 1846 over hem: '*Waarheid, lieflijke nabootsing der natuur, gepaard met een eenvoudige schoone compositie en een uitmuntende behandeling van het penseel kenmerken van de Sande Bakhuyzens werk*'.

89

Het grote voorbeeld voor veel landschapschilders was dit schilderij van een stier geschilderd door de 17de-eeuwer Paulús Potter. Vooral de manier waarop Potter van het dier en de natuur een eenheid had gemaakt oogstte veel lof. Nog steeds is het een van de topstukken van het Mauritshuis.

Leiden gered

De bevelhebber van de Spaanse troepen Valdez krijgt in zijn tent bezoek van zijn verloofde Magdalena Moons. Het is 1574 en Valdez belegert met zijn manschappen Leiden. Magdalena smeekt hem de voorgenomen bestorming nog even uit te stellen. In Leiden wonen veel van haar vrienden en ze dreigt om niet met Valdez te trouwen als hij de bestorming doorzet. De aanstaande echtgenoot zwicht voor haar argumenten en zo verspeelde hij zijn laatste kans de stad in te nemen. De volgende dag was de wind aangewakkerd. Het water brak door de dijken, die doorstoken waren, en het land rondom Leiden liep onder. De Spanjaarden werden gedwongen het beleg op te breken en de Geuzenvloot kon de stad bereiken.

In het begin van de 19de eeuw was Magdalena Moons een populaire historische figuur. Ze werd beschouwd als een heldin, die het landsbelang boven haar persoonlijk belang stelde. In allerlei toneelstukken kwam ze voor en er werden gedichten aan haar gewijd. Maar er rees ook twijfel over haar rol in het ontzet van Leiden. Aangetoond werd dat Magdalena's tussenkomst geen rol had gespeeld, want Valdez zou toch niet over voldoende troepen en materieel beschikt hebben. Toch bleef het een mooi, romantisch verhaal. Simon Opzoomer, die omstreeks 1848 dit schilderij maakte, moet er ook zo over gedacht hebben.

Opzoomer schilderde meer van dergelijke historische onderwerpen, waarin het 'vaderlands gevoel' een grote rol speelt. In de 19de eeuw kozen historieschilders vaak onderwerpen uit de Gouden Eeuw, de eeuw waar Nederland trots op was.

Het laatste ochtendgebed van Johan van Oldenbarnevelt schilderde Opzoomer omstreeks 1849. De terechtstelling van Van Oldenbarnevelt was het tragische einde van het conflict tussen hem en prins Maurits. Het conflict was ontstaan door het sluiten van het Twaalfjarig Bestand, waarvan Maurits een fel tegenstander was. In de godsdiensttwisten tussen remonstranten en contra-remonstranten kwam dit conflict tot een uitbarsting: Van Oldenbarnevelt steunde de remonstranten en Maurits hun tegenstanders. In 1618 pleegde Maurits een soort staatsgreep, waarbij Van Oldenbarnevelt en enkele van zijn medestanders, onder wie Hugo de Groot, gevangen werden gezet. Van Oldenbarnevelt werd beschuldigd van hoogverraad en door een bijzondere rechtbank ter dood veroordeeld. Op 13 mei 1619 werd hij onthoofd.

Om historisch zo zorgvuldig mogelijk te werk te gaan, baseerde Opzoomer zich op bestaande beeltenissen. Voor het portret van Magdalena Moons maakte hij gebruik van deze prent van Cornelis Visscher uit 1649.

Opzoomer schilderde het dramatische moment van Van Oldenbarnevelt vlak voor zijn terechtstelling. Zijn bediende Jan Francken en drie predikanten steunen de staatsman bij zijn laatste ochtendgebed.

Pierre Louis Dubourcq (1815-1873), De begraafplaats te Baden-Baden, 1855, 100 x 150 cm.

Over leven en dood

In het dal oogsten een man en een vrouw graan. Over het pad gaat een groepje mensen. Vier mannen dragen een doodskist, één man loopt voorop. Een vrouw met twee kinderen volgt de kist. Ze zijn op weg naar het kleine, verwilderde kerkhof, dat ligt achter het korenveld. Op de voorgrond stroomt een beek over rotsblokken naar beneden.

In dit romantische landschapschilderij van Pierre Louis Dubourcq worden het leven en de dood verbeeld. De boeren oogsten: zij ontvangen het leven van moeder aarde. Een dode wordt ter aarde besteld, teruggegeven aan het land. De beek op de voorgrond verwijst naar de bron des levens. De boom links, waarvan een ontbladerde tak afsteekt tegen de wolkenlucht, verwijst naar de dood. Het tafereel speelt zich af, zo blijkt uit de titel die Dubourcq het stuk heeft meegegeven, bij de begraafplaats te Baden-Baden. Op een van zijn vele reizen deed de kunstenaar Baden-Baden aan en maakte er schet-

sen. Van 1836 tot 1837 reisde hij door België, Duitsland, Zwitserland en Frankrijk en in de jaren 1843 en 1844 trok hij door Italië.

Op 20 februari 1840 liet Dubourcq zich inschrijven als lid nr. 15 van het net opgerichte Arti et Amicitiae in Amsterdam. Daar maakte hij zich verdienstelijk als bestuurslid en bekleedde verschillende functies. Hij bezocht dikwijls de wekelijkse kunstbeschouwingen die op donderdagavond in Arti werden gehouden en waar, vaak onder leiding van Dubourcq, tekeningen getoond en besproken werden. In 1859 houdt hij vrijwel op met het maken van tekeningen en schilderijen. Op 11 oktober 1850 was hij in het huwelijk getreden met een dame uit gegoede familie: Aletta Jacoba Rochussen. Onder invloed van zijn schoonfamilie ging Dubourcq in zaken: in 1858 begon hij een verzekeringsmaatschappij. Voor het 'kunstbedrijf' restte hem toen haast geen tijd meer. Wel besteedde Dubourcq sinds 1853 veel tijd aan zijn lidmaatschap

van de Raad van Bestuur van het Rijksmuseum te Amsterdam. Hij stelde een catalogus samen van de schilderijen in het museum, die in 1858 verscheen: *Beschrijving der schilderijen op 's Rijks Museum te Amsterdam*.

In zijn inleiding schrijft Dubourcq *dat het meer dan tijd is, om een nieuw en doelmatig gebouw op te richten, ten einde de kunstschatten beter gezien en daardoor nog meer bewonderd en gewaardeerd te worden dan thans.*

Het Rijksmuseum huisde toen in het Trippenhuis, dat veel te klein was en zeer brandgevaarlijk. Zelf maakte Dubourcq meer dan 10 ontwerpen voor een nieuw te bouwen museum. Bij de vijfde druk van zijn catalogus schrijft Dubourcq in zijn inleiding dat hij *tot zijn leedwezen moet melden dat al deze pogingen tot geen gunstige uitslag hebben geleid, en dat ik vrees, dat het stichten van een goed Museumgebouw tot de onbereikbare wenschen zal blijven. Assepoester zoekt haar glazen muiltjes nog.*

Tijdens zijn Italiaanse reis legde Dubourcq dit Italiaanse landschap bij Civita Castellana vast, op 1 juni 1844 zoals hij linksonder aangaf. Italië was tenslotte, volgens Dubourcq, '...de rijkste bron voor een landschapschilder'.

Albert Gerard Bilders (1838-1865), Geitenhoedster, ca. 1864, 61,5 x 53 cm.

Samenspel van licht en donker

Een eigenaardig lichteffect, dat is wat in de schilderijen van Gerard Bilders het eerst opvalt. Heldere lichtvlekken vallen op een deel van het landschap en de mensen en dieren die zich daarin bevinden. De afwisseling van lichte en donkere vlekken speelt een grote rol bij het schilderij met de geitenhoedster.

Bilders zelf had het maar moeilijk met dit schilderij, dat hij een jaar voor zijn dood maakte. In een brief uit 1864 schrijft hij: *Eene schilderij, voorstellende een boomgaard, gestoffeerd met geiten en een Oosterbeeksch meisje, geeft mij in den laatsten tijd geweldig veel moeite.*

Bilders volgde in dit schilderij zo getrouw mogelijk de schetsen die hij in de natuur had gemaakt. Hij probeerde de sfeer van die omgeving te vangen in kleur. Daarin liet hij zich beïnvloeden door schilders van de School van Barbizon.

Deze Franse schilders probeerden de natuur zo goed mogelijk vast te leggen, de atmosfeer van een bepaald moment te 'betrappen'. Zij gingen daarin verder dan Bilders met zijn *Geitenhoedster*. De schilders van Barbizon schétsten niet alleen, maar schílderden ook in de vrije natuur, in de bossen van Fontainebleau bij het plaatsje Barbizon. Bilders zag hun werk op internationale tentoonstellingen in Brussel en ging op een vergelijkbare manier de indrukken van de natuur weergeven.

Het vastleggen van de lichteffecten in het landschap was nieuw, evenals het schilderen rechtstreeks naar de natuur. Nederlandse schilders die het nieuwe zochten vonden elkaar in Oosterbeek, in een bosachtig heidelandschap met zware loofbomen, heuvelig land en uitgestrekte vergezichten. Jonge kunstenaars als Gerard Bilders, Jacob Maris en Anton Mauve discussieerden er over de betekenis van het schilderen in de vrije natuur. Oosterbeek werd wel het Hollandse Barbizon genoemd.

In 1862 schrijft Bilders in een brief: 'Ik heb te Logchem een zeer schoonen zonsondergang gezien.' Hij maakte er schetsen van en uiteindelijk ook een schilderij. Of dat deze zonsondergang is, is niet bekend, maar wel zeer waarschijnlijk.

Dat Roelofs bij het schilderij 'Landschap bij naderend onweer' niet heel nauwkeurig de natuur bestudeerde en afbeeldde, blijkt uit het roerloze berkenbosje. Terwijl de ruiter en zijn paard al tegen de storm optornen, staan de berkestammetjes er op de voorgrond nog bij alsof het windstil is.

In Roelofs' atelier zijn de muren behangen met kleine ingelijste olieverfschetsen van de natuur. Deze studies werden in het atelier gebruikt bij het maken van een schilderij. Ze waren als geheugensteuntjes van wezenlijk belang: ook in het schilderij probeerde de schilder de atmosfeer en het moment vast te houden.

Naderend onweer

Dreigend hangt de donkere wolken-massa boven het duinlandschap. De ruiter geeft zijn paard de sporen: haast is geboden, het onweer kan ieder moment losbarsten. Willem Roelofs beeldt hier een echt roman-tisch tafereel uit. Hij toont de nietig-heid van de mens tegenover de grootsheid van de natuur. Dramatisch breekt de zon door de wolken en beschijnt het gele zand en de zilveren berkestammen. Het hondje volgt zijn baas.

Roelofs maakte dit schilderij in 1850. Het is een van zijn laatste werken in de romantische stijl. Roelofs zou in het verdere verloop van zijn carrière een meer impressionistische manier van schilderen nastreven. Vanaf 1847 woonde hij in Brussel, waar hij con-tact had met de Franse Barbizon-schilders: daar schilderden kunste-

naars in de open lucht. Ook Roelofs ging in de vrije natuur schetsen maken. Ondanks het feit dat hij in Brussel woonde bleef hij een echte Hollandse schilder, die vooral sfeer-volle polderlandschappen maakte met koeien, boerderijen en molens. Roelofs wordt gezien als een voorlo-per van de Haagse School.

Deze olieverfschets maakte Roelofs buiten.

Het schilderij met de liggende koeien in een weidelandschap is een voorbeeld van Roelofs' latere, meer impressionistische schilderstijl.

Cornelis Springer (1817-1891) en Kaspar Karsen (1810-1896), Gezicht op Den Haag vanaf de Delftse Vaart in de zeventiende eeuw, 1852, 200 x 340 cm.

Deze schets van de hand van Springer kwam op een bijzondere manier in de collectie van het Rijksmuseum terecht. Het grote schilderij was, omdat het Rijksmuseum het had aangekocht, met foto in de krant gekomen. De huishoudster van Springers kleindochter herkende het schilderij. Bij haar werkgeefster hing een veel kleiner, maar bijna identiek schilderij. Dat was de olieverfschets die Springer als voorstudie gemaakt had. De hoog- bejaarde mevrouw Springer heeft deze voorstudie in 1991 aan het Rijksmuseum geschonken.

Het duo Springer en Karsen

Op 27 mei 1852 werd in Amsterdam op de Botermarkt – nu het Rembrandtsplein – Louis Royers standbeeld van Rembrandt onthuld. Rond de plechtige onthulling door koning Willem III vonden allerlei feesten plaats. Er was een feest in de Parkzaal aan de Plantage Midden-laan, bij Artis en de Hortus Botanicus. De zaal was voor de gele-genheid versierd met 28 schilderijen die Rembrandts leven en de bloei van de 17de-eeuwse Republiek tot onder-werp hadden. Zo'n dertig kunste-naars van naam verleenden hun medewerking. Cornelis Springer had ook een schilderij voor zijn rekening genomen. Op 18 februari 1852 schrijft hij de Feestcommissie dat hij zich bereid verklaart tot: *...het vervaar-digen van een der benodigde schilderijen, hetzij meer direct in mijn gewone genre (stadsgezicht) hetzij in het gevraagd histo-rieel landschap.*

Springer werd pas in februari ge-vraagd een schilderij te leveren, dat op 27 mei klaar moest zijn: dat gaf hem weinig tijd voor zo'n groot doek. Het moest namelijk twee meter hoog en bijna drie-en-een-halve meter breed zijn. Misschien is het daarom, dat Springer de hulp inriep van zijn vroegere leermeester Kaspar Karsen. Wanneer hij dat deed, in welk stadi-um van het schilderij, is niet bekend. De schilders ondertekenden beiden hun gezamenlijke produkt. Dit toont een gezicht op Den Haag vanaf de Delftse Vaart in de 17de eeuw: het Den Haag uit Rembrandts tijd. Den Haag was een van de vier grote steden waar Rembrandt verbleef. De andere waren Leiden, Haarlem en Amster-dam. En ook daarvan hingen geschil-derde stadsgezichten in de Parkzaal. Het is een zonnig, panoramisch ge-zicht van Den Haag. Delen van de stad zijn helder verlicht. De Laak-

molen op de voorgrond ligt net in de schaduw van een wolk. Mensen in 17de-eeuws kostuum lopen over een pad langs het water. Rechts op de vaart is een trekschuit afgebeeld. Het lijkt een schilderij dat ter plekke gemaakt is, maar het is een recon-structie van de 17de-eeuwse werkelijk-heid, gemaakt door het 19de-eeuwse schilders-duo Karsen en Springer. Zij hebben zich wel degelijk verdiept in het 17de-eeuwse Den Haag. Waarschijnlijk gebruikten zij een in prent gedrukt stadsprofiel van Den Haag, uit het begin van de 17de eeuw, als voorbeeld. Heel realistisch is de Grote of St. Jacobskerk geschil-derd, met rechts daarvan het oude stadhuis aan de Groenmarkt. Soms gingen de schilders echter iets min-der nauwkeurig te werk. De twee molens op het schilderij gaven ze weer als eenvoudige houten wip-molens. Maar ook in de 17de eeuw

De Parkzaal is ter ere van de feesten rond de onthulling van het grote standbeeld van Rembrandt met schil-derijen versierd. Het gezicht op Den Haag van Springer en Karsen is op deze aquarel van J.B. Tetar van Elven links te herkennen.

Op de achterkant van de voorstudie van Springer zit dit label. Daarop heeft de zoon van Cornelis Springer, Leonard, het volgende geschre-ven: 'De ondergeteekende verklaart dat deze schil-derij voorstellende een gezicht op 's Gravenhage vervaardigd is door zijn vader wijle den kunst-schilder Cornelis Springer, afkomstig uit de inventaris van diens atelier, gediend heeft tot schets voor de groote schilderij door hem met medewerking van den kunstschilder K. Karssen vervaardigd voor de Rembrandsfeesten te Amsterdam ..91 Leonard Springer.'

100

stonden hier, net als in de 19de eeuw, stenen poldermolens. Die houten molens vonden ze er authentieker uitzien. Karsen en Springer creëerden een beeld van de 17de eeuw, zoals zij dachten dat het er toen langs de Delftse Vaart uitzag.

Omdat Springer de opdracht voor het schilderij had gekregen, maakte hij een eerste opzet. In de collectie van het Rijksmuseum is de olieverfschets aanwezig, een vlotte studie voor het schilderij. Er zijn wel wat verschillen tussen de schets en het uiteindelijke doek.

Springer signeerde het grote schilderij linksonder, Karsens naam staat rechts. Waarschijnlijk was Springer verantwoordelijk voor de Laakmolen en de figuurtjes links, en schilderde Karsen de oplichtende huizenrij en de trekschuit. Qua sfeer en stijl is Springers olieverfschets geheel nagevolgd: beide schilderijen zijn vrolijk van toon en met losse, vrije toets geschilderd.

Doorgaans schilderde Cornelis Springer heel minutieus. Het schilderij *De Zuiderhavendijk in Enkhuizen* is daarvan een voorbeeld.

Ook zijn leermeester Kaspar Karsen gaf zijn onderwerpen in de regel nauwgezet weer. Hij was, net als Springer, gespecialiseerd in stadsgezichten. Vaak mengde hij fantasie en werkelijkheid. Het hier afgebeelde schilderij, *Gefantaseerd gezicht in een stad*, laat de stad Aken zien, waarbij Karsen het met de werkelijkheid niet zo nauw nam.

Het reusachtige *Gezicht op Den Haag* laat een verrassende kant zien van het kunstenaarschap van Cornelis Springer en Kaspar Karsen.

Doorgaans schilderde Cornelis Springer nogal precies, dit stadsgezicht van Enkhuizen is daar een voorbeeld van.

Kaspar Karsen was – net als Springer – gespecialiseerd in stadsgezichten. Het hier afgebeelde schilderij laat de stad Aken zien, waarbij Karsen het met de werkelijkheid niet zo nauw nam.

Cornelis Springer (1817-1891), De Zuiderhavendijk in Enkhuizen, 1868, 50 x 65 cm.

102

Tot 1937 stonden op de westelijke binnenplaats van het Rijksmuseum gipsafgietsels van bekende kunstwerken. Behalve het doopvont uit de St-Walburgiskerk in Zutphen en de koorbank van de Grote Kerk te Dordrecht, stond hier ook het grafmonument uit de Onze Lieve Vrouwekerk te Breda in gips.

Het schilderen van kerkinterieurs als 'hoofdbaan'

Mensen in 17de-eeuwse kleding staan rondom een groot grafmonument in het 15de-eeuwse koor van de Onze Lieve Vrouwekerk in Breda. Eén man zit op zijn knieën en bestudeert een familiewapen aan de zijkant van dit bijzondere monument.

Dit grafmonument is nog steeds te bekijken in de Grote Kerk in Breda. Het is het monument ter nagedachtenis van Engelbert II van Nassau, gestorven in 1504, en zijn vrouw Cimburga van Baden, gestorven in 1501. Hendrik III van Nassau liet het maken, een groot beeldhouwwerk van albast en marmer. Op een zwart marmeren sokkel liggen de albasten figuren van Engelbert en Cimburga. Vier knielende mannen, ook van albast, dragen een marmeren plaat, waarop de onderdelen van een wapenrusting liggen.

De vier mannen zijn helden uit de klassieke oudheid: Julius Caesar, Marcus Atilius Regulus, Hannibal en Philippus van Macedonië. Behalve Philippus dragen alle mannen zwaar versierde harnassen. Johannes Bosboom gaf deze niet te gedetailleerd, maar toch goed herkenbaar weer.

Het grafmonument trekt zoveel aandacht, dat de architectuur van de kerk minder aandacht krijgt. Toch was het juist met het schilderen van kerkinterieurs, dat Bosboom grote waardering oogstte. Hij plaatste zich met zijn kerkinterieurs in de traditie van 17de-eeuwse schilders als Saenredam, Houckgeest en De Witte. Het licht dat door de ramen valt laat de architectuur goed uitkomen. De koolbladkapitelen die de zuilen bekronen, schilderde hij suggestief en de schalken, dunne zuiltjes, en gewelfribben die daarop rusten, zijn stuk voor stuk herkenbaar. Door de mensen in kleding uit de Gouden Eeuw af te beelden, geeft Bosboom zijn werk een 17de-eeuws tintje.

Al in het begin van zijn loopbaan besloot Bosboom zich toe te leggen op het schilderen van kerkinterieurs. Toen hij 21 was bekroonde het genootschap Felix Meritis een kerkinterieur van hem. Deze en nog andere onderscheidingen stimuleerden hem om dit genre tot zijn 'hoofdbaan' te kiezen, zoals hij zelf zei.

Bosboom plaatste zich met zijn kerkinterieurs in de traditie van 17de-eeuwse kerkinterieur-schilders. Dit interieur van de Oude Kerk te Delft legde Gerrit Houckgeest vast, halverwege de 17de eeuw.

Bosboom had een atelier in de tuin van zijn huis. Van het interieur van dit atelier maakte hij verschillende aquarellen, zoals deze uit het Haags Gemeentemuseum. In dit 'typig geheel'- Bosbooms eigen beschrijving – zien we allerlei kerkelijke attributen.

Een wat minder bekende kant van Bosboom is, dat hij, naast de vele kerkinterieurs, ook de net opgekomen industrie vastlegde. Hij reisde daarvoor naar de Borinage, een gebied in België, waar in die tijd de industrie sterk ontwikkeld was. Het waren geen sociaal bewogen schilderijen, die hij daar maakte. Hij uitte geen kritiek, maar legde fabrieken en industrieën vast als onderdeel van het landschap.

Hendrik Jacobus Scholten (1824 - 1907), Prinses Maria Stuart bezoekt het atelier van Bartholomeus van der Helst, ca. 1860, 46 x 59 cm.

Prinses op atelierbezoek

De Engelse prinses Mary Stuart, weduwe van prins Willem II, wordt ontvangen door de schilder Bartholomeus van der Helst. Ze is in het gezelschap van een hofdame en van haar adjudant. Het is 1652, het jaar waarin Van der Helst, een van de meest succesvolle portretschilders van zijn tijd, de opdracht had gekregen de prinses te portretteren. Nu zit ze daar in het atelier en kijkt naar het resultaat dat ongetwijfeld op de ezel rechts in de hoek staat, onzichtbaar voor de toeschouwer. Mary draagt een witsatijnen japon, dezelfde die zij ook op het portret uit 1652 draagt. Wit was de kleur van rouw voor vorstelijke personen. Rouw, want Mary is geportretteerd als weduwe van stadhouder prins Willem II, die in 1650 was overleden.

De schilder Hendrik Jacobus Scholten heeft zeer zijn best gedaan zijn schilderij historisch gezien zo verantwoord mogelijk te maken: de kleding van de figuren, de inrichting van het vertrek, alles heeft hij weergegeven naar 17de-eeuwse voorbeelden. En Van der Helst lijkt precies op de portretten die er van hem bekend zijn. Toch heeft Scholten de verleiding niet kunnen weerstaan om op één punt de geschiedenis geweld aan te doen. In het atelier van Van der Helst is achter de schilder zijn meest beroemde schilderij *De Schuttersmaaltijd* te zien. Dat schilderij, geschilderd ná de Vrede van Munster in 1648, hing in 1652 al jaren in het gebouw van de Amsterdamse voetboogschutters, de Sint Jorisdoelen.

In 1860, toen Scholten dit schilderij maakte, hing *De Schuttersmaaltijd* in het Trippenhuis, het vroegere Rijksmuseum. Het hing hier tegenover *De Nachtwacht* van Rembrandt. Veel bezoekers lieten in die tijd onverbloemd merken dat ze Van der Helsts schutters veel mooier vonden dan die van Rembrandt. Ongetwijfeld heeft Scholten met zijn schilderij ook een voorkeur willen uitspreken en laten zien wat voor een belangrijke schilder Bartholomeus van der Helst wel was geweest: een schilder met vorstelijke opdrachtgevers.

105

Van der Helst schilderde in 1652 dit portret van Mary Stuart. Waarschijnlijk is het dit portret geweest dat Scholten geïnspireerd heeft tot het schilderen van het atelierbezoek. Vermoedelijk staat dit portret op de ezel, rechts op Scholtens schilderij, half verscholen onder een dik rood fluwelen kleed.

In de 19de eeuw werd Gerard van Honthorst net zo hoog gewaardeerd als Rembrandt en Van der Helst. Om zijn bewondering te tonen schilderde Scholten Van Honthorst in zijn atelier, terwijl hij een tekening aan Amalia van Solms, weduwe van stadhouder Frederik Hendrik laat zien.

Het thema 'molen' is door Maris op verschillende manieren vastgelegd. Hij maakte deze aquarel van vermoedelijk dezelfde molen, maar nu niet afgesneden.

Deze tekening van Jan Pieter Veth is een karakteristiek portret van Jacob Maris.

Molen onthoofd

Jacob Maris toonde lef, en een eigen opvatting toen hij dit schilderij maakte: een afgesneden molen op een langgerekt, horizontaal schilderij. Hij had al heel wat molens geschilderd, vaak direct vanuit het raam van zijn huis in Den Haag, dat uitzicht gaf op een molen. Maar altijd schilderde hij de molens keurig in het vlak, aan alle kanten omringd door het Hollandse landschap.

Deze afgesneden molen schilderde Jacob Maris, de oudste van de drie gebroeders Maris, ook vanuit zijn atelierraam. Het is echter niet de molen die het onderwerp is, maar de sfeer. Het grijs overheerst en kou en wind zijn bijna voelbaar. De oude vrouw loopt met moeite tegen de helling van de brug op. De horizontalen spelen een grote rol in dit schilderij. Dat deed Maris bewust: hij schilderde met lange horizontale streken, soms in ruige klodders, soms met een bijna droog penseel. De lucht is zwaarbewolkt, maar sommige delen van het schilderij lichten toch helder op, zoals het water en het witte hekwerk. Maris treft in dit schilderij op een rake manier het Hollandse landschap op een winterse dag. Hij maakte dit werk na een verblijf van een jaar of zes in Parijs. In Frankrijk schilderde Maris in de bossen bij Fontainebleau. Het contact met het werk van de moderne Franse schilders van de School van Barbizon had invloed op hem. Jacob Maris wordt gezien als een van de hoofdfiguren van de Haagse School; hij was een voorbeeld voor velen.

107

Aan de vloedlijn wacht een groep mensen op naderende vissersschepen. Grijze kleuren overheersen, eigenlijk springt alleen de gele oliejas van de man te paard eruit. Dit onderwerp en de sfeer die het uitstraalt zijn typerend voor de schilders van de Haagse School. Dit schilderij van Maris is het eerste dat de verzamelaar Charles Drucker voor zijn verzameling kocht. Hij was toen 23.

Hendrik Johannes (later Jan Hendrik) Weissenbruch (1824-1903), 'Gezicht bij Geestbrug': de trekvaart in de richting van Rijswijk gezien met links de Binckhorst en rechts de Laakmolen, 1868, 31 x 50 cm.

Theo van Gogh stuurde een prent van dit schilderij naar zijn broer Vincent op. In zijn brief van 20 juli 1873 beschrijft Vincent een jeugdherinnering. Eens waren ze samen aan het wandelen toen plots een onweersbui losbrak. Ze scholen in de Laakmolen, en werden door de molenaar onthaald op een glas melk.

'Lucht en licht zijn de tovenaars'

Licht en lucht, dat is kunst! Ik kan in m'n schilderijen, vooral in de luchten, nooit genoeg licht brengen. Soms lukt het me, soms niet. Dan schei ik ermee uit, steek een pijpje op en ga wat lummelen of in mijn tuin wandelen. Of ik ga lezen.....Kom ik terug, dan probeer ik het weer en nog eens, tot ik het heb. De lucht op een schilderij, dat is een ding. Een hoofdzaak! Lucht en licht zijn de tovenaars, aldus de schilder Jan Hendrik Weissenbruch. In het schilderij *Gezicht bij Geestbrug*, heeft hij lucht en licht meesterlijk weten te treffen. Boven het landschap strekt zich een prachtige lucht uit, in veel nuances blauw waarin grijswitte wolken drij-

ven. Het zonlicht speelt door de wolken en vormt schaduwen. In het landschap zijn sommige delen verlicht: de molen, het witte zeil van de boot. Andere delen liggen in de schaduw. Links op de voorgrond loopt een vrouw met een kindje op haar arm, een ander kind loopt naast haar. Aan de overkant van het water is het jaagpad, van waar de trekschuiten werden voortbewogen.

Weissenbruch schilderde niet zomaar een Hollands polderlandschap met een molen en wat bootjes; hij schilderde de Trekvliet bij Den Haag. Links is nog net de toren van kasteel de Binckhorst te zien, rechts de

Laakmolen. Hoewel het geheel een spontane indruk maakt, vervaardigde Weissenbruch dit schilderij in zijn atelier. Daar probeerde hij, aan de hand van schetsen die hij wél ter plekke gemaakt had, de sfeer van de zonnige, winderige zomerdag vast te

Twee jaar nadat Weissenbruch het 'Gezicht bij Geestbrug' schilderde, maakte hij een grotere versie met hetzelfde onderwerp. Op dat schilderij staan twee molens en is er rechts een zeilboot bijgekomen. Ook hieruit blijkt weer, dat het de schilder niet te doen was om een topografisch juiste weergave, maar dat de sfeer van het moment belangrijk was.

110

leggen. En dat lukt hem, want niet de mensen of de zeilboten zijn het onderwerp, maar de natuur en de sfeer. Dat was ook zijn bedoeling: *De natuur zelf zou je op het doek willen hebben...Ik kreeg soms een klap van de natuur. Als ik later die klap had, kon ik teekenen en schilderen wat ik zag en gezien had. In een paar houtskoolkrabbels legde ik het vast. Thuis tooverde ik het in verwe.* Weissenbruch behoorde tot die kunstenaars van de Haagse School die vrijwel nooit op reis gingen: zij vonden hun onderwerpen voor hun tekeningen en schilderijen in en om Den Haag. Maar drie jaar voor zijn dood maakte Weissenbruch dan toch nog een reis. Eigenlijk was het een soort bedevaartstocht, het bezoek aan Barbizon. Blijkbaar had de School van Barbizon zo'n grote indruk gemaakt op Weissenbruch, dat hij besloot er naar toe te gaan.

Dit schilderij, een bosgezicht met een kunstenaar aan het werk, maakte Weissenbruch in Barbizon. Hij stelde dit schilderij, eenmaal terug in Den Haag, beschikbaar bij een verkoping van kunstwerken in 1900, die werd georganiseerd om geld binnen te krijgen voor een nieuwe behuizing van het Haagse kunstgenootschap Pulchri Studio.

Hendrik Johannes (later Jan Hendrik) Weissenbruch (1824-1903), Doorkijkje in het onderhuis van Weissenbruchs woning in Den Haag, 1888, 39 x 51 cm.

Dit is een doorkijkje in het huis van de schilder aan de Kazernestraat in Den Haag. Hij woonde daar op nummer 112; het pand werd kort na zijn dood afgebroken. Weissenbruch had zich daar niet omgeven met indrukwekkende kunst-voorwerpen. Het was een simpele omgeving, waar hij een ruim atelier had. Dat, en ook de keuken en andere vertrekken uit zijn huis, waren regelmatig het onderwerp van zijn aquarellen en schilderijen. Het doorkijkje in de keuken doet denken aan 17de-eeuwse Hollandse interieur-stukjes. Iemand die Weissenbruchs huis ooit bezocht, schreef erover in 1899: 'In een rustige, stille straat te 's-Gravenhage woont de schilder Jan Hendrik Weissenbruch. In het rustige, stille huis wordt men bij het binnenkomen verplaatst in eene oud-Hollandsche woning van den Delftschen Vermeer, meer nog in eene van Pieter de Hooch.' Behalve het huis zelf, doet ook de com-positie van het schilderij 17de-eeuws aan. Weissenbruch laat de toeschouwer in een ruimte kijken waar de deur open staat, door die deur is weer een ruimte te zien en daar staat weer een raam open: een dergelijke compositie met door-kijkjes komt regelmatig voor bij de 17de-eeuwer Pieter de Hooch.

112

Weissenbruch maakte ook een aquarel waarop de Leerdamse stadspoort te zien is. Dit gezicht van de stadspoort laat de werkelijke situatie in Leerdam zien. De poort was aan de binnenkant gedetailleerder.

Een gedraaide stadspoort

Jan Weissenbruch was, in zijn tijd, één van de beste schilders van stadsgezichten. Dit schilderij, 'Landschap met sluis', hangt in het Groninger Museum voor Stad en Lande.

Aan het eind van een straatje staat een stadspoort, de stadspoort van Leerdam. Links voert een vrouw de kippen, rechts maakt een vrouw een praatje met een man die over een muur naar beneden kijkt. Door de poort heen is een stuk van de giek van een boot te zien, de top van de mast steekt boven de stadswal uit. Achter de vaart ligt een weiland met koeien. Het geheel is gehuld in een mooi zonnetje, dat schijnt na een regenbui, want er staan nog plassen op straat.

Het tafereel lijkt een weergave van de werkelijkheid, maar Jan Weissenbruch nam het niet zo nauw met die werkelijkheid. Want de poort die hij afbeeldde, is wel de stadspoort van Leerdam, maar dan vanaf de andere kant gezien. Staand buiten de stad zag men deze kant van de poort. Weissenbruch draaide de poort dus 180 graden, waarschijnlijk gewoon omdat hij deze kant mooier, interessanter vond. Zo zette hij de werkelijkheid naar zijn hand. Een aquarel van de kunstenaar toont bijna hetzelfde

gezicht, alleen heeft hij daar de poort wél juist weergegeven. Hieruit blijkt dat de binnenkant van de poort architectonisch minder interessant was.

Bij dit schilderij speelde Weissenbruch dus met de werkelijkheid en paste die aan zijn wensen aan, zodat er een beeld ontstond dat hij mooi vond.

113

David Joseph Bles (1821-1899), Zo de ouden zongen, piepen de jongen, 1869, 49 x 67 cm.

Slecht voorbeeld doet slecht volgen

In deze huiskamer is het een dolle boel: de kinderen spelen oorlogje, ze maken oorlogsgeluiden, één blaast er op de trompet en het hondje blaft er bovenuit. De ouders schijnen het gedoe alleen maar leuk te vinden. Het is een gegoede familie. Ze zijn bij elkaar in een grote, 17de-eeuws ingerichte, huiskamer en ze zijn gekleed in deftige, 18de-eeuwse, kostuums. De schilder David Bles koos weliswaar een historisch aandoende aankleding voor zijn schilderij, maar hij had niet de bedoeling een historisch tafereel uit te beelden. Het onderwerp zelf

stamt uit de 17de eeuw. Het was een van de onderwerpen die Jan Steen zo graag schilderde: 'Zo de ouden zongen, zo piepen de jongen'. Dat wil zoveel zeggen als: kinderen volgen maar al te gemakkelijk het slechte voorbeeld van hun ouders. Steen bedoelde dat nadrukkelijk vermanend: het is een teken van slechte opvoeding als ouders dat laten gebeuren. Of dat bij Bles ook zo bedoeld is, is maar de vraag, waarschijnlijk was het hem vooral te doen om het schilderen van een vrolijk tafereel. Met dergelijke, zorgvuldig geschilder-

de, historisch uitziende genrestukjes had Bles veel succes. Het Rijksmuseum kocht het schilderij in 1869, het jaar waarin het geschilderd is, op de belangrijke jaarlijkse tentoonstelling in Den Haag: de Tentoonstelling van Levende Meesters. Toen had het nog niet de huidige titel, maar heette het *De vadermoorders*. De schilder had het een motto meegegeven: 'Het wil al muizen wat van katten komt'. Ook dat betekent slecht voorbeeld doet slecht volgen.

De alledaagse tafereeltjes die in de 17de eeuw zo populair waren, genrestukken, worden ook in de 19de eeuw door schilders als onderwerp gekozen. Bles volgt de grote meester in dit genre, Jan Steen, wel heel direct. Steens onderwerp van het 'Vrolijke Huisgezin', is ook door Bles geschilderd. Bles roept een zelfde rommelige, ongedwongen sfeer op en de boodschap is exact dezelfde: slecht voorbeeld doet slecht volgen.

Alexander Hugo Bakker Korff (1824-1882), 'Onder de palmen', 1880, 17,5 x 14 cm.

Aanstellerige dametjes in kneuterige sfeer

Twee, met overdreven zorg aangeklede, oudere dames kijken in verrukking op naar een wat zielige kamerplant – een Chamaedorea of dwergpalm – op een tafeltje. *Onder de palmen* heeft de kunstenaar het schilderijtje genoemd. Zowel deze ironische titel als de voorstelling zijn kenmerkend voor het werk van de Leidse schilder Alexander Hugo Bakker Korff. Steeds weer komen op zijn schilderijen – doorgaans van klein formaat – deze dametjes voor, meestal gekleed in 18de-eeuwse kostuums. Waarschijnlijk zijn het zijn ongetrouwde zusters, hij had er een heel stel, die voor hem poseerden, al denkt men ook wel dat het zijn vrienden waren, als dames verkleed. Die kostuums en het meubilair, ook uit de 18de eeuw, kwamen uit de verzameling van de schilder zelf. Toen na zijn dood, in 1882, zijn bezit geveild werd, kocht het Rijksmuseum een aantal van deze meubels en ook enkele kostuums.

Het duurde enige tijd voordat Bakker Korff de stijl gevonden had die hem uiteindelijk bekend zou maken. Eerst maakte hij romantische schilderijen met vrouwen, zoals *Een non en een meisje, beiden in aandacht*. Later beproefde hij zijn geluk met kleine schilderijtjes van vrouwen aan het werk. Vaak gebruikte hij daarbij foto's die hij dan in zijn atelier naschilderde. Pas na 1860 ging hij de onderwerpen schilderen die hem succesvol zouden maken: aanstellerige oude dametjes in een kneuterige sfeer. Hij voorzag deze schilderijen van titels die net weer een ironisch tintje aan de voorstelling gaven. *Onder de palmen*, een van zijn laatste werken, is daar een uitstekend voorbeeld van. Hoewel Bakker Korff zijn tafereeltjes stoffeerde met 18de-eeuwse objecten en zijn modellen kleedde in 18de-eeuwse kostuums, is zijn kunst toch helemaal 19de-eeuws, zowel door de onderwerpen, als door de humor waarmee ze gepresenteerd worden. Bakker Korffs werk uit de periode na 1860 was in zijn tijd zeer populair, zijn schilderijen werden goed verkocht en er werden hoge prijzen voor betaald. Het Rijksmuseum kocht dit schilderijtje op de Tentoonstelling van Levende Meesters in Den Haag in 1881, voor f 1000.

117

In het Rijksmuseum zijn, na Bakker Korffs dood, nogal wat voorwerpen uit zijn bezit terechtgekomen. Enkele stoelen die hij thuis had, schilderde hij na. Deze stoelen staan op veel van zijn schilderijen.

Van Bakker Korff is bekend dat hij regelmatig naar foto's schilderde. Deze daguerreotypie, een eenmalige foto-opname op een verzilverde koperplaat, in gebruik tussen 1839 en 1865, laat goed zien hoe de schilder zijn tafereel ensceneerde. Het model zit al in de gewenste houding en aan het interieur heeft de schilder later nog wat geschaafd.

Een heel klein paneeltje van een wafelbakster, waarin de gebruikelijke ironie van Bakker Korff ontbreekt.

Matthijs Maris (1839-1917), Bootje met knotwilg, 1863, 23 x 30 cm.

Een stereofoto is een kaart of glasplaatje met
– naast elkaar – twee bijna identieke foto's.
De fotograaf maakte deze twee foto's door zijn
gezichtspunt iets te draaien. Hij draaide zijn
camera ongeveer 6 centimeter, de afstand die cor-
respondeert met de afstand tussen onze ogen. In
een speciale kijker, een stereoscoop, vormden deze
twee beelden voor de beschouwer een driedimen-
sionaal beeld. In 1859 werd deze stereofoto van
de Nieuwe Haarlemse Sluis gemaakt.

Souvenir d'Amsterdam

Als een donkere diagonaal deelt de knotwilg het beeldvlak in tweeën. Matthijs Maris schilderde met grove toets dit stukje landschap. Licht-donker contrasten spelen een hoofdrol. Maris schilderde het licht, helder vallend op het water, op een deel van de boot en op het weiland in de achtergrond. Het speelt met de bladeren van de knotwilg; de gespleten, scheefhangende stam is donker, evenals het grootste deel van de boot. In die boot zit een man te schetsen, zijn rug gebogen.

Matthijs is veel met zijn broer Jacob opgetrokken. Ze hebben een tijdlang samen een atelier gedeeld in de Kazernestraat in Den Haag en gingen ook samen de natuur in. Hun buitenstudies zijn in die tijd verwant. Met brede toets bereiken ze het effect van momentopnames in de natuur. Matthijs Maris ging uiteindelijk toch heel anders schilderen. Fantasie en romantiek gingen in zijn latere werk een grotere rol spelen en uitten zich in grillige mysterieuze schilderijen. Soms ook lijken schilderijen van Matthijs heel realistisch, zoals zijn stadsgezichten. Bij nader inzien blijken ze voor een deel gefantaseerd te zijn.

Een voorbeeld hiervan is het *Souvenir d'Amsterdam*. Het lijkt een natuurgetrouw stadsgezichtje, maar schijn bedriegt: Matthijs schilderde het Amsterdamse stadsgezicht in Parijs, naar een stereofoto. Hij kopieerde de foto niet exact maar voegde figuurtjes en architectuur toe. Hij zelf zei: *al die huisjes in het verschiet waren er niet, die heb ik er zo maar bij gelapt.* Dit schilderijtje moest hem geld opleveren, hij maakte het voor de handel.

Matthijs heeft veel gereisd. Al op 13-jarige leeftijd ging hij studeren in Antwerpen. Tijdens studiereizen bezocht hij Duitsland, Zwitserland en Frankrijk. En behalve in Parijs woonde hij ook lange tijd in Londen. Zijn laatste levensjaren leefde hij behoorlijk teruggetrokken en schilderde hij vooral fantasie-beelden. Een natuurmoment als de knotwilg hoorde toen niet meer in zijn wereld.

Dit is het enige Amsterdamse stadsgezicht dat door Maris geschilderd is. Hij gaf het de titel 'Souvenir d'Amsterdam'. Toch is het geen bestaande plek die hij afbeeldde. Hij schilderde het tijdens zijn verblijf in Parijs, aan de hand van een stereofoto. Maar hij vulde dit beeld aan, ondermeer door de links opdoemende huizenrij, en componeerde zo dit niet bestaande stadsbeeld. Toch is de sfeer en stemming in dit schilderij typisch Amsterdams.

Deze twee schilderijen waren ooit één. Van de tweehonderd schilderijen die Allebé maakte, is dit het bekendste. Een elegant gekleed stel bezoekt een museum. Een zaalwachter leest de krant en een ander sloft voorbij. Een van de gipsafgietsels is de Venus van Milo.

August Allebé was van 1870 tot 1880 hoogleraar, en van 1880 tot 1906 hoogleraar-directeur van de Rijksacademie van Beeldende Kunsten te Amsterdam. Toen hij werd aangesteld, in 1880, kwam er kritiek op die benoeming. In de Nederlandsche Spectator stond een ingezonden brief die luidde: *De keuze van de Heer Allebé als professor, doceerende het teekenen, is ondoordacht. De Heer Allebé is een jong mensch van groot en zeer origineel talent - dat echter bestaat in een sterk en eigenaardig sentiment voor kleur (...). Zoo iemand is niet alleen ongeschikt om jongelieden te leeren teekenen, maar is juist voor velen een leidsman tot verderf. Van der Helst moet ons leeren teekenen, maar Rembrandt niet, al is hij in veel opzichten grooter.* Het bleek allemaal wel mee te vallen

met Allebé's capaciteiten als docent. Zijn lessen werden goed bezocht en onder zijn leerlingen waren er flink wat van naam: Anton Derkinderen, Eduard Karsen, Jacobus van Looy, Jan Toorop, Jan Veth, Willem Witsen. Zijn aanstelling betekende dat hij koos voor een maatschappelijke carrière in plaats van een artistieke loopbaan. Hij besefte dat de beslommeringen van het directeurschap hem de tijd niet zouden laten om te schilderen. Maar als hij schilderde wijdde hij zich vooral aan onderwerpen uit het dagelijks leven, die slechts zelden waren afgebeeld door andere kunstenaars. Meestal vertelde Allebé een verhaal, dat hij goed doordacht weergaf. Zoals het schilderij *Vroeg ter kerke*. Vier personen zitten in de kerkbanken, luisterend naar de dienst. Het is nog vroeg, het is de ochtenddienst. De jonge vrouw, gekleed in het zwart, is een

weduwe van goeden huize, die vertroosting zoekt. Van beweging is in dit werk geen sprake. De vier personen luisteren of zijn in gedachten verzonken, ze zijn verstild. Het binnenvallende licht beschijnt hun expressieve gezichten.
Tegenwoordig is Allebé vooral bekend als de maker van het *Museumbezoek* en de *Oude zaalwachter*, twee schilderijen die echter oorspronkelijk één waren. Dit schilderij ontstond na *Vroeg ter kerke*. Allebé's schilderstijl is hier nog realistischer. De manier van weergeven is objectief en afstandelijk. Het geheel maakt een natuurlijke indruk. Tegenwoordig wordt het beschouwd als Allebé's hoogtepunt. Het schilderij werd in 1870 gemaakt, het jaar waarin hij gevraagd werd om hoogleraar te worden: vanaf die tijd is de schilder Allebé ondergeschikt geraakt aan de hoogleraar.

Het is een sprookjesachtig tafereel door Allebé in 1867 geschilderd: een kind ligt in een wieg, beschermd en bewaakt door allerlei dieren. Vlinders, kuikens, een koe, een ekster, kippen en een poes kijken naar het kind. Het zonlicht valt door het dakraam en beschijnt nog juist het kindergezichtje.

Henriëtte Ronner-Knip (1821-1909), Katjesspel, ca. 1870, 32,5 x 45,5 cm.

Rond 1860 maakte
Ronner-Knip deze
hondenportretten:
een olieverfstudie van
een schoothond en een
met losse toets geschil-
derde hondekop.

Speelse salonkatten

Eind vorige eeuw was Henriëtte Ronner-Knip ín: haar katten-schilderijen waren bijzonder populair. Verzamelaars in heel West-Europa kochten ze.

Henriëtte leerde het schildersvak van haar vader, Josephus Augustus Knip, de landschapschilder die in Italië had gewerkt. Josephus raadde zijn dochter aan vooral naar de natuur te werken en Henriëtte concentreerde zich op het leven op en rond het boerenerf. Ze schilderde landschappen, bossen, vee, katten, honden, en muntte uit in het weergeven van veren, vachten en dierenogen.

In 1850 trouwde Henriëtte met Feico Ronner en verhuisde naar Brussel. Daar raakte ze geboeid door de trekhonden die men voor de melk- en kolenkarren spande. Ze ging zich specialiseren in het schilderen van honden. Het schilderij *La mort d'un ami*,

dat een stervende trekhond laat zien, werd tentoongesteld op de Wereldtentoonstelling in Londen (1860) en kreeg lovende kritieken. Haar reputatie als hondenschilder ging zo ver dat de koningin van België en de gravin van Vlaanderen hun schoothonden door haar lieten portretteren.

Vanaf 1870 ging Henriëtte Ronner zich toeleggen op het schilderen van katten. Ze had weliswaar van jongs af aan katten geschilderd, maar het publiek raakte pas rond die tijd geïnteresseerd in kattenschilderijen en Henriëtte schilderde toch vooral voor de verkoop.

De algemene interesse voor de kat uitte zich ook in een grote kattententoonstelling in het Crystal Palace in Londen, in 1871. De kat werd populair en Ronner-Knip profiteerde daarvan. Ze mocht menig kat portretteren en zo verschijnen er

raskatten en pronkpoezen op haar doeken en panelen.

Ronner-Knip wist de dieren op een levendige, speelse en treffende manier weer te geven. De prijzen voor haar werk waren laag, dus ze moest veel produceren om genoeg te verdienen. Dat laatste lukte, in de eerste plaats omdat het werktempo van Henriëtte zo hoog lag. Het verhaal ging, dat ze soms vóór het ontbijt al een paneeltje af had. Ook tegenwoordig worden nog bijzonder hoge prijzen betaald voor een poezenschilderij.

Vaak schilderde Ronner-Knip eerst het decor, de achtergrond van het schilderij. De poezen schilderde ze er later in. Om de poezen goed te kunnen bestuderen, plaatste de kunstenares ze in een glazen kastje, dat ze speciaal hier voor gebruikte.

'Drie tegen één'. In dit schilderij laat Ronner-Knip zien dat ze een knap dierenportrettist is, zowel van honden, als van katten.

Willem Maris (1844-1910), Eenden, ca. 1880, 93 x 113 cm.

Eenden in de schijnwerper

Eenden aan de slootkant en vee in een weiland of bij een plas, dat waren de onderwerpen waar Willem Maris,

de jongste van de Maris-broers, zich veelal mee bezig hield.

Willem kreeg tekenles van zijn twee broers Matthijs en Jacob. Daarnaast ging hij zelf op pad om buiten te schetsen. Dan tekende hij veel koeien. In het Mauritshuis kopieerde hij *De stier* van Paulus Potter. Hoewel hij de koeien perfect weer kon geven is een veel geciteerd gezegde van Willem Maris: *Ik schilder geen koeien maar licht.*

Hiermee hoort ook deze Maris volledig bij de Haagse School. Uit al zijn schilderijen blijkt Willems streven het steeds wisselende licht te vangen.

Soms valt het als een felle schijnwerper op enkele delen in het schilderij. Een paar eendjes lijken in toneelspots te staan. Hun dons en veren wist Willem met losse toetsen feilloos te treffen. De sfeer van zomerdagen, de licht bewegende spiegelingen in het water: hij gaf dat weer op het platte vlak van zijn schilderij.

Willem Maris reisde veel minder dan zijn broers. Hij woonde het grootste deel van zijn leven in Den Haag en daar had hij leerlingen die later naam zouden maken, zoals Breitner en Poggenbeek.

Het groot afgebeelde schilderij met eenden is in werkelijkheid ook een flink doek. Deze 'eendjes' zijn echter geschilderd op een paneel van 19 bij 27 centimeter. Toch behandelt Maris het onderwerp op dezelfde manier: hij schildert met een even losse verftoets.

Beroemd is het citaat van Maris dat hij geen koeien schilderde, maar licht. Deze koe aan de slootkant illustreert wat hij daarmee bedoelde.

Jozef Israëls (1824-1911), Moederweelde, 1890, 106 x 129 cm.

Dit is het huwelijk van Jozef Israëls' dochter Mathilde. In zijn latere periode had hij een voorkeur voor dergelijke onderwerpen: Joods, huiselijk en vertellend.

Het zelfportret met zieke voet stuurde Jozef op naar mevrouw Drucker-Fraser. Op de achterkant van deze aquarel schreef hij: 'Mijn zieke voet rust niet, voor hij in uw bezit is'.

Geromantiseerde armoede

Alles wat met het vissersleven te maken had boeide Jozef Israëls. Hij schilderde tientallen vissersfiguren, en dan ging het niet om individuele portretten, maar om algemene, anonieme figuren. De mensen die Israëls schilderde roepen een sfeer op. Ze verbeelden het eenvoudige, armoedige vissersbestaan, maar wel met een romantisch tintje.

Jozef Israëls raakte in 1855, tijdens een verblijf in Zandvoort, geboeid door het leven van het vissersvolk. Tien jaar daarvoor was hij naar Parijs vertrokken. Daar had hij gezien hoe de Franse schilders het volksleven vastlegden. Ongeromantiseerd werd het harde leven van alledag door de Fransen uitgebeeld. Israëls maakte zijn scènes over het algemeen ingetogener. Hij liet de vissers figureren in schilderijen met algemene interieurscènes of abstracte thema's als 'de dood'.

Toen Israëls met zijn vrouw Aleida Schaap en hun kinderen, Mathilde en Isaac, naar Den Haag verhuisde legde hij zich een tijdje uitsluitend toe op de vissersfiguren. Hij liet achterin zijn tuin een groot atelier bouwen, waarin een speciaal vissershoekje werd ingericht. Daar liet hij zijn modellen poseren. Op de schilderijen leek het echter alsof hij de mensen in hun eigen, armoedige omgeving vastlegde. Hij schilderde dus een schijnrealiteit. Met grote licht-donker contrasten roept Israëls een dramatische sfeer op in zijn schilderijen met alledaagse onderwerpen. Vaak zet hij zijn modellen bij een raam, zodat hij kan werken met het binnenvallende licht. Zo worden de vrouw en het kind in *Moederweelde* in tegenlicht geplaatst en deels van links belicht.

Na 1900 – Israëls is dan inmiddels al 76 – wordt zijn manier van schilderen steeds losser. Hij kiest steeds persoonlijker onderwerpen, zoals zelfportretten en scènes uit het Joodse leven. Ook in de bijbelscènes die hij dan schildert speelt Israëls' Joodse

afkomst een rol. Jozef Israëls studeerde eerst in Groningen en vervolgens in Amsterdam. In de hoofdstad was hij in de leer bij Jan Adam Kruseman en aan de Koninklijke Akademie studeerde hij bij Jan Willem Pieneman. Hij ontwikkelde zich tot een zeer succesvol schilder en hij kreeg grote internationale erkenning. Toen Jozef Israëls in 1911 overleed – na een schilderscarrière van bijna zeventig jaar – kreeg hij een ware staatsbegrafenis. Hij werd beschouwd als een tweede Rembrandt.

Isaac tekende dit portret van zijn vader in diens atelier, zittend achter zijn ezel.

In 1855 bracht Israëls enige weken door in Zandvoort voor gezonde zeelucht. Hij raakte in de ban van het leven aan zee en besloot dicht bij de zee te gaan wonen. Daar zal hij dergelijke tafereeltjes dagelijks gezien hebben.

Hendrik Willem Mesdag (1831-1915), Scheveningse bommen voor anker, ca. 1875, 115,5 x 80 cm.

In 1880 was in Brussel de Société Anonyme du Panorama Maritime de la Haye opgericht. Mesdag kreeg van deze onderneming de opdracht om een panorama te maken. Twee redenen bewogen hem om deze opdracht aan te nemen. Het schilderen van zeestukken was zijn specialiteit en dit zou een immens zeegezicht worden. Daarnaast wilde hij het schitterende uitzicht vanaf het Seinpostduin vastleggen, het hoogste duin van Scheveningen. De gemeente wilde dit duin afgraven; het vissersdorp moest een badplaats worden. De vooruitgang kon niet gestopt worden, maar het gezicht vanaf het duin is voor altijd vastgelegd.

Sientje, de vrouw van Mesdag, zit met een parasol boven haar hoofd te schilderen, tussen de bomschuiten op het strand. Het is een detail van het Panorama Mesdag. Aan dit immense doek werkten Sientje en Hendrik Willem Mesdag, maar ook de schilders De Bock, Blommers en Breitner. Nog steeds is dit Panorama uit de 19de eeuw te zien en daardoor uniek in Europa.

Bommen voor anker

Halverwege de 18de eeuw werden op de scheepstimmerwerven nieuwe, grote vissersboten gebouwd: de bomschuiten. Deze platbodems waren zo'n vijftien meter lang en bijzonder breed, een meter of zeven. Met de bomschuit konden de vissers grote reizen maken, want deze boten waren zo groot dat veel netten, tonnen en proviand meegenomen konden worden. Ze waren geschikt voor de haringvangsten, tochten waarvoor de vissers ver de zee op moesten.

Meer dan een eeuw later was de bomschuit nog steeds dé boot, ook voor de Scheveningse vissers. De imposante bomschuiten voor de kust en op het strand vormden een schilderachtig onderwerp voor menig kunstenaar, zoals Jacob Maris, Jan Hendrik Weissenbruch en ook Hendrik Willem Mesdag. Voor Mesdag werd de zee en het leven dat daarbij hoorde zijn belangrijkste thema.

Hij 'ontdekte' de zee tijdens een verblijf op het Duitse eiland Norderney. Haar grootsheid imponeerde Mesdag en hij maakte er schetsen en schilderijen van. Toen hij daar veel bewondering mee oogstte, onder meer bij zijn neef Laurens Alma Tadema en bij zijn leraar Roelofs, stond zijn

besluit vast: hij wilde zeeschilder worden. In 1869 gingen Mesdag en zijn vrouw Sientje van Houten in Den Haag wonen. Iedere dag ging de schilder naar Scheveningen, alwaar hij een vaste kamer in een hotel aan zee had. Van daaruit bestudeerde en schilderde hij de zee op ieder uur van de dag en in alle jaargetijden.

Bekend bij vrijwel alle Nederlanders is Mesdag door zijn *Panorama Mesdag* in Den Haag: een indrukwekkend doek met een oppervlakte van 1680 vierkante meter. Hij schilderde het samen met zijn vrouw en met de schilders De Bock, Breitner en Blommers, in opdracht van een Belgische onderneming. Die onderneming vroeg Mesdag in 1881 een panorama te schilderen en dat moest een zeegezicht zijn. Hij koos als locatie het Seinpostduin in Scheveningen en voltooide het doek in vier maanden. Met de hem kenmerkende suggestieve, losse toets gaf Mesdag zo in één doek het strand en het leven aan de zee weer, en de toeschouwer kan dat tegenwoordig, meer dan een eeuw later, nog steeds meebeleven: hij staat er dan letterlijk middenin.

Voor Mesdag was de zee als onderwerp onuitputtelijk. Het ging hem om de schoonheid daarvan, in alle seizoenen, op alle uren van de dag, bij alle weersgesteldheden.

Een foto uit de vorige eeuw met bomschuiten aan de vloedlijn. Deze schepen konden, door hun platte bodem, op het strand worden gezet, wat een groot voordeel was, aangezien de kustplaatsen geen havens hadden. Paard en wagen staan klaar voor het vervoer van netten en tonnen met vis.

George Jan Hendrik Poggenbeek (1853-1903), De wilg, ca. 1888, 26 x 22 cm.

Beeld in balans

George Jan Hendrik Poggenbeek, meestal Geo genoemd, raakte op zijn negentiende geïnteresseerd in de kunst. Hij was voor de handel opgeleid en was zijn loopbaan in die richting al begonnen, maar dat beviel hem matig. Hij vond zijn roeping in de schilderkunst.

Poggenbeek was een Amsterdammer die zich aangetrokken voelde door de schilders van de Haagse School. Zijn kleurgebruik was weliswaar iets levendiger dan dat van de Hagenaars, maar ook bij hem speelde grijs een grote rol. Poggenbeek koos hetzelfde soort onderwerpen als zijn Haagse collega's. Hij schilderde veel weide-landschappen met bomen en vee. Zijn schilderijen zijn evenwichtig en harmonieus.

Ook wanneer hij stadsgezichten schilderde, probeerde hij tot in het uiterste naar harmonie te streven. Hij legde een stadsbeeld niet vast zoals een fotocamera dat zou doen, maar hij verfijnde dat wat hij zag totdat het beeld in balans was. Niet de beweeglijkheid van een stadsbeeld gaf hij weer, maar de harmonie, niet het toevallige, maar het uitgebalanceerde. Poggenbeek had daarmee een heel andere stijl dan degene voor wie hij diepe bewondering koesterde: Breitner. Deze stadsgenoot van hem werkte veel met fotografie en bracht de 'toevallige uitsnede' van de werkelijkheid over op het doek.

Jacob Maris beschouwde Poggenbeek als een groot meester en ook het publiek hield van zijn rustige natuur- en stadsgezichten. Veel van de schilderijen van Geo Poggenbeek werden al tijdens zijn leven door Engelse verzamelaars gekocht.

Het schilderijtje is klein, maar niet priegelig geschilderd, wat voor de hand zou liggen bij zo'n formaat. Het is snel en stevig geschilderd.

In heldere kleuren gaf Poggenbeek het Belgische stadje Dinant weer.

Anthonij (Anton) Mauve (1838-1888), Morgenrit langs het strand, 1876, 45 x 70 cm.

Deze versie van een heidelandschap met schapen was aanmerkelijk goedkoper dan andere versies van diezelfde heide met een kudde schapen. Dit hing af van de schapen; voor 'sheep coming' dus schapen waarvan de koppen te zien zijn, moest meer betaald worden!

Ruiters in rul zand

Een groepje ruiters daalt stapvoets van de duinen af naar het Scheveningse strand. In 1991 is dit schilderij door de restauratoren van het Rijksmuseum schoongemaakt. Toen bleek pas hoe helder dit zomerse tafereeltje eigenlijk was. De felle schaduwplekken op het witte, mulle zand maken de kracht van de zon bijna voelbaar. De paardehuiden glimmen. Na de restauratie kwamen ook de paardevijgen weer tevoorschijn, die ooit weggeschilderd waren.

Het gevoel van diepte dat Mauve weet op te roepen is groots. Via de karresporen in het zand wordt de blik van de toeschouwer snel de diepte in geleid. Donker steekt daar nog een ruiter af tegen het zand. Aan de voet van het duin staan badkoetsjes: Scheveningen is in 1876, het jaar waarin dit schilderij gemaakt is, in opkomst als badplaats. Heel in de verte zijn, aan de rand van het water, nog enkele piepkleine figuurtjes te ontwaren.

Anton Mauve portretteert met dit schilderij een stukje van de mondaine, elegante wereld van zijn tijd. Dat was voor deze schilder uitzonderlijk. Meestal probeerde hij de natuur te treffen in haar meest pure en verstilde vorm. Hij schilderde heide, bos, strand en duinen vooral met het doel de speling van het licht weer te geven. Schapen en koeien, die zijn schilderijen vaak bevolken, moesten het natuurlijke benadrukken; de invloed van de mens op de natuur speelde in zijn werk niet of nauwelijks een rol.

Mauve woonde het grootste deel van zijn jeugd in Haarlem, waar hij schilderles kreeg van de dierschilder P. F. van Os. Op ongeveer twintigjarige leeftijd ging Mauve met Paul Gabriël naar Oosterbeek, waar hij getroffen werd door het schilderachtige, gevarieerde landschap. Hij maakte er kennis met Gerard Bilders en Willem Maris. Mauve zou Maris' werk uitbundig bewonderd hebben met de woorden: *Kerel, wat ben jij een artist!* Voor zowel Maris als Mauve speelde de weergave van sfeer en licht een hoofdrol, het doel was het oproepen van 'stemming', zoals ze zelf zeiden.

In 1871 ging Mauve in Den Haag wonen, waar hij met Willem Maris en Mesdag de Hollandsche Teeken-Maatschappij oprichtte. Drie jaar later trouwde hij met Jet Carbentus, een nicht van Vincent van Gogh. Den Haag was een centrum van moderne kunsthandel en Mauves produktie nam in die tijd enorm toe. Werk van hem werd verkocht in binnen- en buitenland. In Amerika was men vooral geïnteresseerd in schilderijen met schapen; men had daar de keuze tussen 'sheep coming' en 'sheep going'.

Voor Van Gogh was het huwelijk van zijn nicht met de door hem bewonderde Mauve een mooie gelegenheid om contact met hem te zoeken. In september 1881 bezoekt hij Mauve dan ook en hij laat zijn aangetrouwde neef enkele tekeningen zien. Mauve is geïnteresseerd en geeft Van Gogh allerlei aanwijzingen. *Ga schilderen* raadde hij de beginnende kunstenaar aan. Enkele maanden later kwam Van Gogh drie weken op Mauves atelier werken en hij raakte erg door zijn leermeester geïnspireerd. Later zou Vincent zijn grote bewondering uiten

door bij Mauves dood in 1888 het schilderij met een vruchtboom in rose bloesem aan hem op te dragen: hij noemde het *Souvenir de Mauve.*

134

Monument van tijdloze schoonheid

In 1887 neemt Willem Witsen het atelier van Breitner aan de Oude Schans in Amsterdam over. Vanaf dat moment richt Witsen zijn aandacht niet langer op het landelijke, maar op het stedelijke onderwerp. Hij raakt gefascineerd door het uitzicht vanuit zijn atelier, door de omgeving van de

De buurt rond de Oude Schans en de Oude Waal fascineerde Witsen zeer. Het is een waterrijk stukje Amsterdam met pakhuizen uit de 17de en 18de eeuw. Deze vormden het onderwerp van vele etsen en schilderijen.

Montelbaanstoren. Een aquarel toont een stukje van de huizenrij op de Kromboomsloot, een gracht die haaks staat op de Oude Schans. Frontaal geeft hij de huizenrijen weer, waarbij alleen het onderste deel te zien is. Daarvoor ligt de besneeuwde stoep, de wallekant, en helemaal op de voorgrond schilderde Witsen het ijs op de gracht. De mensen spelen een ondergeschikte rol in zijn composities. Hier vormt de figuur met de rode omslagdoek een fraai kleuraccent. Het zwarte hondje contrasteert met de witte sneeuw.

De witte meeuwen steken duidelijk af tegen de donkere stenen van de kademuur. Dit soort stadsgezichten vormt Witsens specialiteit. Vaak schildert hij huizen langs een gracht en hult hij het geheel in een dampige nevel, die opstijgt uit het water. Een dergelijke atmosfeer is te vinden in het schilderij *Pakhuizen aan een Amsterdamse gracht*. Hij geeft de stad weer als een monument van tijdloze schoonheid. Naast stadsgezichten bleef Witsen landschappen schilderen, dat was het genre waar hij zich aan het begin van zijn loopbaan vooral mee bezig had gehouden. Incidenteel schilderde hij portretten en stillevens. Een voorbeeld van zo'n stilleven is het *Kruikje met wollegras*. De pluisbloempjes wist Witsen heel knap te treffen: ze zien er echt zacht uit.

Witsen schilderde zo nu en dan een stilleven. Het kruikje met wollegras is daar een voorbeeld van. Fraai geeft Witsen de verschillende materialen weer, de zachte pluisbloempjes in het stenen kruikje.

Wilhelmus Hendrikus Petrus Johannes (Willem) de Zwart (1862-1931), Rijtuigen met wachtende koetsiers, ca. 1900, 31,5 x 43 cm.

*In het latere werk van De Zwart speelt het thema
van de menselijke zonde en de goddelijke straf
een grote rol. Het schilderij 'Gevallen Engel' was
voor De Zwart wellicht het symbool van zijn
eigen leven, zijn eigen neergang.*

Drastische wending

Rijtuigen met wachtende koetsiers is een rustig, stemmig tafereel dat typerend is voor Wilhelmus Hendrikus Petrus Johannes de Zwart. Hij koos niet, zoals Breitner vaak deed, voor een jachtig, chaotisch straatbeeld, maar had meer aandacht voor de rustpunten in een stad. Meestal gaf hij een gebeurtenis weer bij winters- of regenachtig weer. Ook op dit schilderij is dat het geval: fraai spiegelen de koetsiers, de paarden en het rijtuig in het regenwater op het nattige plein. Dergelijke voorstellingen maakte De Zwart wel vaker, een paardetram, een koetsjeshalte, koetsiers die bij paarden de wacht houden. Het beroep van zijn vader, die rijtuigschilder was, was wellicht van invloed op zijn voorliefde voor dit genre.
De Zwart zette zijn voorstelling met krachtige toets en veel verf op het doek.

Omstreeks 1877 was De Zwart bij Jacob Maris in de leer gegaan. Deze liet hem buiten naar de natuur werken en oude meesters kopiëren. Ook arrangeerde hij stillevens voor zijn leerling. In zijn vroege jaren, zo tussen 1881 en 1884 zou hij heel wat stillevens en Maris-achtige landschapjes afleveren. Later, toen hij goed bevriend raakte met Breitner, stond zijn werk soms dichtbij dat van zijn vriend. De Zwarts werk is echter meestal wat donkerder van toon en wat intiemer, door het gebruik van kleinere formaten. Als hij in 1894 Den Haag verlaat en naar het Gooi trekt, verandert zijn werk drastisch. De kleuren die hij gebruikt worden feller, de composities van zijn werken gedurfder en spannender. Na 1900 zou hij nog vele malen verhuizen, eerst naar Amsterdam, om vervolgens na vele omzwervingen in 1917 weer in Den Haag terecht te komen. Hier zou hij blijven wonen tot zijn dood in 1931. In de tijd dat zijn werk erg populair was, tussen 1900 en 1912, was De Zwart zelf ontevreden over zijn schilderijen. In brieven klaagt hij voortdurend over het teruglopen van de kwaliteit van zijn werk. Kleuren kon hij met moeite in bedwang houden en composities begonnen volgens eigen zeggen te 'rammelen'. In die tijd werd de kunstenaar ziek; hij leed aan depressies. Wellicht trachtte hij in zijn schilderij *De Gevallen Engel* zijn eigen achteruitgang te verbeelden. Toch bleef hij schilderen tot aan zijn dood.

De Zwart schilderde dit driedelig kamerscherm, met daarop verhalen uit de Bijbel, waarin straffen van God worden beschreven. Van links naar rechts zijn te zien: de zondeval met daarboven de zondvloed, Kaïn die Abel vermoordt met daarboven de kruisiging en tot slot de verdrijving uit het paradijs met daarboven Sodom en Gomorra.

Indringend kijkt hij de toeschouwer aan: Vincent van Gogh, Nederlands beroemdste 19de-eeuwse kunstenaar. Het is een zelfportret in de hem kenmerkende stijl; korte, stevige streepjes vullen het vlak van het doek. Deze manier van schilderen is heel persoonlijk en direct als 'Van Gogh' herkenbaar. Zo schilderde Vincent toen hij in Frankrijk woonde, maar in zijn Nederlandse tijd schilderde hij anders, meer in de stijl van zijn leermeester en neef Anton Mauve. Pas op 27-jarige leeftijd besloot Vincent van Gogh om kunstenaar te worden. Hij had enige jaren bij de kunsthandel Goupil & Co gewerkt, dus hij had al heel wat kunstwerken onder ogen gehad. De moderne kunst sprak hem aan: die van de Franse schilders uit de School van Barbizon én die van de schilders van de Haagse School. Ook was hij getroffen door het werk van de Fransman Millet, die boeren in hun alledaagse situatie afbeeldde.

Toen Vincent zich serieus op het kunstenaarschap ging toeleggen zocht hij steun bij Anton Mauve, een aangetrouwde neef van hem. Hoewel Mauve zijn neef slechts enkele maanden adviseerde en lesgaf, is zijn invloed duidelijk zichtbaar in Van Goghs werk tussen 1880 en 1885. Vincents techniek is geschoold door Mauve en heel wat composities die hij schilderde laten de invloed van zijn leermeester zien. Mauves *Moeras* biedt

Mauves 'Moeras' biedt een mooie vergelijking met Van Goghs 'Korenveld met kraaien', dat vijf jaar later geschilderd werd.
De composities vertonen grote overeenkomsten, terwijl de kleuren als dag en nacht van elkaar verschillen.

154

Van Gogh heeft slechts tien jaar geschilderd, maar zijn produktie was enorm: hij heeft meer dan 1100 tekeningen en 900 schilderijen gemaakt.

in dit opzicht een mooie vergelijking met Van Goghs *Korenveld met kraaien*, dat vijf jaar later geschilderd werd. De kleuren van de twee werken verschillen als dag en nacht, de composities tonen grote overeenkomst. Van Gogh woonde van 1881 tot 1883 in Den Haag. Na een verblijf van

enkele maanden in Drenthe ging hij bij zijn ouders in Nuenen wonen. Hij schilderde ontzettend veel en had zich tot doel gesteld schilder van het boerenleven te worden, zoals Millet dat was. In 1886 verhuisde Vincent naar Frankrijk. Daar onderging hij de invloed van het impressionisme en

vulden heldere kleuren zijn palet. De sombere kleuren waar hij in Den Haag en Nuenen mee werkte verdwenen uit zijn schilderijen en de manier van schilderen werd steeds losser. In een koortsachtige snelheid schilderde Vincent tot aan zijn tragische dood in 1890 een breed scala aan onderwerpen. Hij kopieerde naar oude meesters en naar voorbeelden uit zijn eigen tijd. Hij schilderde Japanse prenten na, en hij beeldde thema's uit die hij destilleerde uit deze exotische kunst: bijvoorbeeld bloeiende fruitboompjes. Vincent schilderde het landschap in al zijn weersomstandigheden, hij beeldde het volk uit in al zijn realistische armoede en hij gaf zichzelf weer in vele van zijn stemmingen.

Van Gogh ontving in Arles het bericht over de dood van zijn eerste en enige leermeester Anton Mauve. Later ontvangt hij een 'in memoriam' met een portret van Mauve. Vincent schrijft dan aan zijn broer: '... maar op de een of andere manier greep het me aan en kneep het mijn keel dicht van ontroering en toen heb ik op mijn schilderij geschreven 'Souvenir de Mauve'.

Een van Van Goghs eerste stadsgezichten uit Arles én het eerste schilderij waarop hij een sterrennacht weergeeft. Het is het café-terras aan het Place du Forum '... waar we gewoonlijk heen gingen, geschilderd bij nacht'.

Vincent Willem van Gogh (1853-1890), Café-terras aan het Place du Forum, 1888, 81 x 65,5 cm. (Rijksmuseum Kröller-Müller).

Register

Register

Een boek, waarvan dit de eerste vier pagina's zijn, en een penning werden als huldeblijk aan het echtpaar Drucker-Fraser aangeboden. Koningin Emma en Prins Hendrik danken, namens de hele Nederlandse bevolking, het echtpaar voor hun schenking.

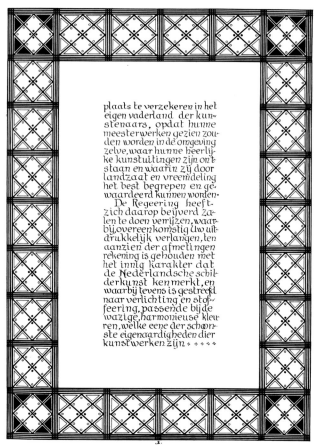

Beknopte bibliografie

G. H. Marius, **De Hollandsche schilderkunst in de negentiende eeuw**, Den Haag 1920.

J. Knoef, **Een eeuw Nederlandse schilderkunst**, Amsterdam 1948.

Th. H. Lunsingh Scheurleer *et al.*, **Het Rijksmuseum 1808-1958. Gedenkboek uitgegeven ter gelegenheid van het Honderdvijftigjarig bestaan**, Den Haag 1958.

150 jaar Nederlandse Kunst, Amsterdam (tentoonstelling Stedelijk Museum) 1963.

E. P. Engel, 'Het ontstaan van de verzameling Drucker-Fraser in het Rijksmuseum', **Bulletin van het Rijksmuseum** 13 (1965), pp. 45-66.

P. J. J. van Thiel *et al.*, **Alle schilderijen van het Rijksmuseum te Amsterdam**, Amsterdam & Maarssen 1976.

Het Vaderlandsch Gevoel. Vergeten negentiende-eeuwse schilderijen over onze geschiedenis, Amsterdam (tentoonstelling Rijksmuseum) 1978.

De Haagse School. Hollandse meesters van de 19de eeuw, Den Haag (tentoonstelling Haags Gemeentemuseum) 1983.

E. Bergvelt, 'Nationale, levende en 19de eeuwse meesters. Rijksmusea en eigentijdse kunst (1800-1848)', **Nederlands Kunsthistorisch Jaarboek**, deel 35, Weesp 1985, pp. 77-149.

A. Hoogenboom, 'De rijksoverheid en de moderne kunst in Nederland', **Kunst en beleid in Nederland, 1795-1848**, Amsterdam 1985.

Op zoek naar de Gouden Eeuw. Nederlandse schilderkunst 1800-1850, Haarlem (tentoonstelling Frans Halsmuseum) 1986.

J. F. Heijbroek, 'Werken naar foto's. Een terreinverkenning', **Bulletin van het Rijksmuseum**, 34 (1986) nr. 4, pp. 220-236.

De Haagse School. De collectie van het Haags Gemeentemuseum, Haags Gemeentemuseum 1988.

P. Hefting, **De foto's van Breitner**, Den Haag 1989.

F. Grijzenhout en C. van Tuyll van Serooskerken, **Edele Eenvoud. Neo-classicisme in Nederland 1765-1800**, Zwolle 1989.

De schilders van Tachtig. Nederlandse schilderkunst 1880-1895, Amsterdam (tentoonstelling Rijksmuseum Vincent van Gogh) 1991.

W. Loos, brochure bij de tentoonstelling **Een eeuw apart. 350 negentiende-eeuwse schilderijen uit het Rijksmuseum**, Amsterdam (Rijksmuseum) 1991.

P. de Dreu, 'Hoe realistisch is een schilderij?', **Rijksmuseumkunstkrant**, no. 5 (april-mei) 1991, pp. 9-10

P. J. J. van Thiel *et al.*, **All the paintings of the Rijksmuseum. First supplement: 1976-91**, Amsterdam & Den Haag 1992.

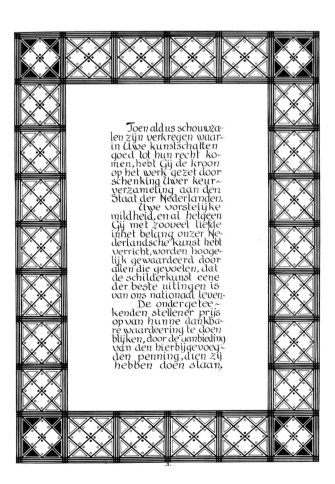

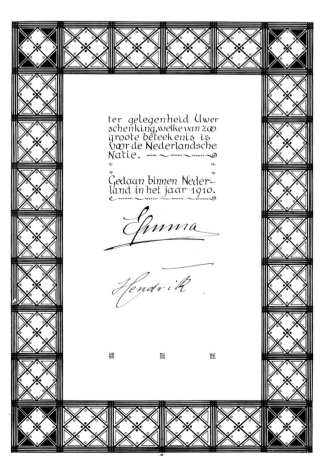

Colofon

Een eeuw Apart. Het Rijksmuseum en de Nederlandse schilderkunst in de 19de eeuw werd uitgegeven in verband met de renovatie van de Zuidvleugel van het Rijksmuseum. Deze renovatie werd mede mogelijk gemaakt door steun van de Koninklijke PTT Nederland NV.

Medewerkers aan dit boek:

prof. dr. Henk van Os, algemeen directeur van het Rijksmuseum; drs. Wiepke Loos, conservator 18de- en 19de-eeuwse schilderkunst van het Rijksmuseum; drs. Judikje Kiers, wetenschappelijk medewerker, afdeling educatie en voorlichting van het Rijksmuseum; drs. Annemarie Vels Heijn, directeur presentatie van het Rijksmuseum; drs. Fieke Tissink, wetenschappelijk medewerker, afdeling educatie en voorlichting van het Rijksmuseum; Irma Lichtenwagner, coördinator, directeur Rijksmuseum-Stichting; Peter Mookhoek, hoofd afdeling fotografie van het Rijksmuseum; drs. Caroline Bunnig, kunsthistoricus, wetenschappelijk medewerker Rijksmuseum-Stichting

Een eeuw Apart. Het Rijksmuseum en de Nederlandse schilderkunst in de 19de eeuw is een uitgave van Inmerc BV, Wormer, in samenwerking met de Rijksmuseum-Stichting, Amsterdam, mogelijk gemaakt door ondersteuning van de Mercurius Groep Wormerveer BV en de volgende medewerkende bedrijven:

Vormgeving:

Loek de Leeuw/Inmerc BV

Lithografie:

Nederlof Repro, Cruquius-Heemstede (kleur); Art repro bv, Wormerveer (zwartwit)

Papier:

Perseus silk 135 grams, houtvrij machinegestreken papier met triple coating, uit de collectie van Bührmann Ubbens Papier, fabrikaat KNP Fine Paper Division.

Zetten en drukken:

BV Kunstdrukkerij Mercurius-Wormerveer

Binden:

Binderij Abbringh BV, Groningen

Projectrealisatie en distributie:

Inmerc BV, Wormer

CIP-GEGEVENS KONINKLIJKE BIBLIOTHEEK, DEN HAAG

Eeuw

Een eeuw apart : het Rijksmuseum en de Nederlandse schilderkunst in de 19de eeuw / Wiepke Loos ... [et al.; bew. Caroline Bunnig]. - Amsterdam ; Inmerc ; Rijksmuseum-Stichting - Ill.

Met reg.

ISBN 90 6611 432 0 - geb.

NUGI 912

Trefw.: schilderkunst ; Nederland ; geschiedenis ; 19e eeuw